D1638079

INDULGENCE PLÉNIÈRE

JEAN DE LA VARENDE

INDULGENCE PLÉNIÈRE

ROMAN

BERNARD GRASSET ÉDITEUR

61, RUE DES SAINTS-PÈRES, VIe

PARIS

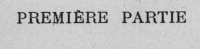

PREMIÈRE PARTIE

*Ce petit roman pourra ne pas
intéresser, pourra même choquer;
mais c'était impossible, pour moi,
de ne pas l'écrire. Il s'est fomenté,
développé, dénoué près de moi :
je n'ai pas su lui résister... Et
puis, ce qui ne fut d'abord que
marionnettes, s'est révélé tout à
fait autre, dans un contact plus
fréquent, presque intime... Paix
aux cendres d'un bonheur illégi-
time, qui, malgré sa bassesse,
peut toucher encore!*

L. V.

LA porte de la chambre s'ouvrit lentement, avec précaution. On avait frappé, mais le dormeur n'avait pas entendu. Cependant il se réveilla tout de suite, sous son madras rouge, ouvrant avec peine des yeux gonflés...

Une jeune femme entrait, élégante dans sa robe noire et son petit tablier de parade; déjà bien coiffée, cheveux longs, en boucles. Elle apportait le chocolat qui embaumait. Deux camélias réunis par une faveur, garnissaient la soucoupe.

— Je dormais, je dormais encore, Bébelle, — fit le bonhomme; — à croire, — dit-il avec un froncement, — que plus je vais et plus je dors... Les camélias?

— Bon anniversaire, M. Georges, et tout ce que vous désirez pour votre année nouvelle!

— Tu es sûre?... — gémit M. Georges avec un effroi non joué : — Tu es certaine? Tu as raison, Bébelle; oui, hélas, Bébelle, j'ai soixante-deux ans... Je suis un vrai vieillard, ma pauvre Bébelle, et cette fois, ça y est! J'ai tant joué à faire le vieillard, et aujourd'hui, m'y voilà. Merci quand même! Embrasse-moi, Maman-Belle.

Il prit les camélias, les glissa dans la seconde boutonnière de sa chemise à passe poil rouge. Il avait dû avoir des traits fins que son collier de barbe virilisait quelque peu. Elle le baisa sur la joue. Il l'embrassa en soupirant :

— Soixante-deux ans!... Qu'est-ce que tu veux que je donne pour mes soixante-deux ans, Bébelle?

Elle agita la tête. Rien. Elle rangeait, sourit un peu; déclara : « Un peu moins de désordre... » Mais elle s'occupait déjà à tartiner les rôties avec des gestes rapides et de la grâce naturelle.

— Quand même, Bébelle... D'ailleurs tu ne vas pas très fort, ces temps-ci. Qu'as-tu? Dis-le moi, pour mon anniversaire?

Elle haussa de jolies épaules basses :

— Je m'ennuie un tout petit peu, — émit-elle, mélancoliquement.

Ce fut immédiat; le sexagénaire s'en assit, très ému.

— Ah, Seigneur, tu t'ennuies! Pourquoi t'ennuies-tu? Dis vite!... On t'a fait de la misère? S'ennuyer, à ton âge!... Ma sœur t'a cherché noise?

Non. Madame Olmer tenait son rang, et avait raison de le tenir. D'ailleurs, depuis cinq ans, Gabrielle s'était habituée à ses façons. Au contraire, même, Madame Olmer, parfois, s'humanisait...

— Ma sœur est une maîtresse-femme, — se rengorgea M. Georges, et ce devait être une expression souvent employée, car la gouvernante sourit

de coin, amicalement, — d'ailleurs, elle est encore
pour dix jours à Paris. Ah, Bébelle, tu t'ennuies!...
Mais c'est terrible, ça, terrible!...

Il en oubliait le chocolat vanillé :

« Depuis combien de temps t'ennuies-tu?

— A la longue, — fit-elle sourdement, et ses
grands yeux se relevèrent sur l'étrange chambre.

Des objets de piété sur chaque tablette, partout. Même sur les armoires, des statues. Tout
Lourdes, La Salette, Pontmain, Saint-Anne-d'Au-
ray; tout Saint-Sulpice. Une bannière verte et or
des « Militants de la Foi »; des vues de Terre Sainte,
au mur.

— Pourtant, tu es bien aidée; les deux petites
sont entièrement à ta disposition, et gentilles...

— *Très* gentilles, — fit-elle, doucement.

Il savait ce que parler veut dire. Il excusa tout
de suite :

— *C'est* libre, — fit-il, à la manière paysanne,
— *ça* ne sait pas, mais *c'est* honnête...

— Toutes les femmes ont été honnêtes, — répliqua Gabrielle, faiblement : — Ce sont les hommes
qui ne le sont jamais...

Elle reprit, comme malgré elle :

« Berthe est jolie et pas sotte; elle sera bientôt
belle. Tant pis!... Mon mari appréciera d'ailleurs
aussi bien Margot, bête comme une pintade, mais
qui a dix-sept ans...

— Ah, tu es inquiète de Jules, ah!... — répliqua
le bonhomme avec un certain soulagement qu'il
dissimulait bien : — Mais, il aime à rire. Faut pas

trop lui en vouloir, Bébelle; il t'est fort attaché!

— J'ai vingt-six ans, — fit-elle, dans le même abandon lassé. — Allons, Monsieur Georges, bonne fête!...

— Mais reste un peu. Quel temps fera-t-il? Quel costume mettre? Je dois aller en ville... Et le journal? et les lettres?

— Le facteur n'est pas encore venu. C'est Jeudi, il déjeune au Buisson. Vous ne vous habillerez qu'après le déjeuner. Reposez-vous encore. Madeleine attend...

— Ah, Madeleine attend, — et il regarda la jeune femme avec une pointe de souci : — Elle savait l'anniversaire? D'elle-même?...

— Oui, bien qu'elle n'en ait rien dit. Elle voudrait vous offrir son cadeau.

— Fais-la monter dans cinq minutes, que je me requinque un peu... Tu pars sans même mettre les camélias dans un verre?

— Non, — répondit la jolie femme avec un peu de coquetterie, — c'est celui qui les reçoit qui doit les y mettre; jamais celle qui offre. J'appelle Madeleine?

La petite, qui devait guetter sur le palier, s'introduisit dans la chambre. Elle était longue et jolie, mise trop en fillette. Elle devait approcher de quinze ans. Elle s'intimidait. Mais elle tenait son présent sur ses deux mains; un paquet enrubanné.

— Bon anniversaire, Bon-Papa; je...

Et elle tendit le cadeau.

M. Georges embrassa encore, et défit les rubans. Un très singulier cache-nez apparut, un cache-nez de soie, multicolore...

M. Georges mima son admiration, un peu étonné...

— Quelles belles couleurs! — s'exclama-t-il, — quels tons!...

— C'est l'écharpe d'Iris... — fit-elle, extrêmement rouge, et prête à battre en retraite...

o

Dehors, il faisait admirable. Premiers jours d'Avril où tout annonce l'irrésistible joie du monde. Le Printemps s'avance... Par la fenêtre, le parc massif se poudrait de vert tendre, les buissons surtout, comme si, près de la terre, la sève montait plus vite à leurs bourgeons. Laissé à lui-même, M. Georges, dans sa vaste chemise de nuit, ouvrit la fenêtre.

Des filles pépiaient. M. Georges affûta son rasoir pour se dégager les joues, un tel jour à embrassades. Puis il chanta un air de motet, d'une assez jolie voix brisée mais travaillée anciennement. Puis il se rasa dans un grand silence. Le collier de barbe se découpa bien. S'habilla vite, envoya un baiser à Notre-Dame de Lourdes, et ce fut sa prière du matin. Il descendit dignement.

Solennellement même, l'air non prévenu, comme il se devait, les jeunes servantes l'attendaient sur la dernière marche, le regardant s'approcher avec des yeux attendris tandis qu'il s'efforçait de ne pas activer. Mais il leur souriait. Elles tendaient

un gros bouquet régulier et symétrique comme une
pièce montée. Berthe le soutenait de la main droite
et Margot de la gauche. Quand M. Georges fut à
trois marches, les soubrettes, avec ensemble, offri-
rent leurs compliments, leurs vœux et les fleurs. Il
les remercia avec des termes qui à l'ordinaire le
dépassaient (il improvisait bien) et les embrassa
elles aussi sur les deux joues. Elles y furent sensibles; car ce fut très bien fait, avec légèreté et
paternalisme. M. Renard, le chauffeur toutes mains,
le mari de Gabrielle, s'avançant à son tour, offrit
à M. Georges une canne où il avait sculpté un serpent. Gabrielle parut apprécier la bonne expression
de ses vœux. Les petites aussi, d'ailleurs. Enfin
les chiens entrèrent et ce fut un pugilat de tendresse.

La sonnerie du téléphone! Madame Renard venait
de sortir, les deux soubrettes se ruèrent à l'envi
dans le bureau de M. Georges, et ce fut la belle
Berthe qui empoigna le récepteur...

— C'est un télégramme de Paris!...

— Prenez-le sur un bout de papier! — hurla
M. Georges, — je déteste les télégrammes!...

Et le téléphone, donc! D'ailleurs, les chiens, le
bouquet, les souliers non lacés...

— Écris, toi, — fit Berthe à Margot... — Oui...
oui... « Vœux... Vœux affectueux, pour... pour tes
soixante-deux printemps ...Stop. » C'est de Madame!

Tout le monde avait reparu. Gabrielle Renard
s'était avancée, Jules tendait le cou. La sonnerie
avait fait hurler les chiens. Berthe, de la main,
demanda du silence. M. Georges attendait.

« Je prolonge de huit jours. Stop. Amuse-toi bien... Mary-Ann »...

— Relisez-moi le télégramme, je n'ai pas mes lunettes...

« Vœux affectueux... Pour tes soixante-deux printemps... »

— Vous avez entendu, Gabrielle, ma sœur remet encore son retour. C'est surprenant!... Sans doute, Jacques, qui lui donne du tintouin, — reprit-il, comme pour lui-même.

Puis il sourit bonnassement.

« ...mes soixante-deux printemps!... Ma sœur ne changera jamais. Eh bien, le soixante-deuxième n'est point si laid!

Il engloba tout ce monde aimable dans un geste arrondi...

— Je vais nouer vos lacets, — fit Gabrielle en se courbant...

— J'y suis! — réclama Berthe.

Mais la Margot, si alerte et si vive, était déjà à genoux. Tous trois restèrent à regarder l'enfant.

M. Georges caressait son bouquet comme un chou-fleur :

— Mes soixante-deux printemps, — murmura-t-il mi-figue, mi-raisin : — Les postières ont dû se fout' de moi... Bah! — il brandit le bouquet : — Mes enfants, y a un cirque magnifique au chef-lieu. Je vous y emmène tous, ce soir!...

Joie générale, abois, cris d'animaux. Le patriarche se leva. Madeleine lui tendit timidement son écharpe arc-en-ciel. Gabrielle l'en calfeutra tandis qu'il donnait des signes de confort. Il gardait

2

toujours le bouquet en mains. Il se rappela la
leçon : jamais trop tard. Empoigna un vase, y fit
couler de l'eau; campa le tout fièrement au milieu
de la table. Commanda à Madeleine d'aller lui
chercher les camélias, se les passa à la boutonnière,
brandit sa nouvelle canne... Il allait sortir.

Il reçut des mains de Madame Renard sa casquette d'amiral, et fouaillant du stick, chanton-
nant déjà, M. Georges s'en alla faire son petit
tour de domaine, entraînant son chien aveugle,
et tout épaissi de félicité.

o

Personne n'a jamais su pourquoi M. Georges portait une casquette d'amiral; plus exactement, une
casquette de membre actif du Royal Squadron
que n'eût pas reniée Sir Thomas Lipton. Il la
garda vingt ans, et la rechaussait dès l'automne.
A partir de Juillet, il montrait la même fidélité
à un chapeau canotier, dit « camembert », un peu
ondulé et mollet, mais renforcé d'une ombrelle
verte et blanche qu'il fut le dernier à utiliser et
qui le suivit dans ses malheurs. De plus, il faisait
une grande consommation d'écharpes; sans doute
à cause de sa voix. Entraînant son chien aveugle,
l'homme et le cocker se ressemblaient. Il marchait
un peu voûté; les deux pans du cache-nez se ba-
lançaient de chaque côté de son buste, comme les
oreilles du chien.

Il entra au bureau de poste auxiliaire où on lui
offrit, encore, des vœux. Il remercia en termes
choisis, et, tirant le paquet d'enveloppes qu'il avait

apporté, il expédia ses remerciements. Sa sœur
d'abord. Puis les servantes et Jules. On est poli...
Sa carte avec quelques mots aimables :

GEORGES CHAPELLE

Chevalier du Mérite Agricole
Maire de Boncourt-la-Vallée
Ancien conseiller d'arrondissement
Ancien premier clerc (liquidateur)
Administrateur du domaine de Boncourt
Président de la Société de chasse du canton de Hauville
reconnue d'utilité publique et habilitée à recevoir des dons
et legs par décret du 28 Août 1907.

D'une belle main : *Madame*, et en dessous,
Madame Olmer... Puis, *Madame et Monsieur Jules
Renard;* puis, *Mademoiselle Madeleine Ray*; enfin
Mademoiselle Berthe Olry et *Mademoiselle Margue-
rite Chabot* ...

« C'est un beau coup d'œil, » se dit-il, content,
« — et elles les auront demain matin au réveil. »
Cependant, une fois que les enveloppes eurent
disparu dans la boîte, il se rembrunit : « J'aurais
mieux fait d'envoyer, à ma sœur, une illustrée...
sous enveloppe, bien sûr, sous enveloppe!... Elle
n'aime pas mes cartes de visite et c'eût été, en
somme, plus intime... Pourquoi n'aime-t-elle pas
mes cartes? Faut bien renseigner les gens... Ah,
et puis, flûte!... c'est *ale rigt*!... Viens, mon Coco! »

II

L E cirque leur offrit un spectacle de qualité.
Un tout petit cirque familial, mais animé
d'une même gaieté, d'une même verve, où
tous apportaient leur concours, se donnaient.
M. Georges avait bien fait les choses. Boncourt
s'étalait dans la grande loge de face. M. Georges
en redingote (il redingotait tout de suite); à droite,
Madame Renard; à gauche, Madeleine. Les deux
filles, en grande tenue, et Julot, vraiment superbe,
en veston bleu.

Un pître musical d'une faconde et d'une habileté exceptionnelles, qui, à lui tout seul, remplaçait
un orchestre, et jouait de tous les instruments, de
la flûte au xylophone. Dans la pantomime, une
nuit turque, une nuit à Stamboul, M. Georges et
Jules furent très intéressés par les costumes féminins. Les femmes montraient leurs flancs nus en
cachant tout le reste. « Jamais je n'ai tant vu de
nombrils »... s'étonnait le patriarche : « Je ne
savais pas que c'était si joli... »

— C'est dégoûtant! — grondait Madeleine : —
Je ferme les yeux...

— Mais non, — répliquait M. Georges; — c'est

ici la *beauté de la ceinture*, dont parle le poète grec, et il n'avait pas tort.

A ce moment, le musicien s'exhibait, manœuvrant un violoncelle à roulettes et à pédales, et il faisait le tour de la piste en râclant une musique un peu pistonnante, qui allait et venait.

— *L'Ave Maria* de Schubert! — s'écria M. Georges, en ouvrant ses bras courts; et il se mit à fredonner. Leurs places les désignaient; le musico fit des huit devant eux, et entonna. M. Georges, saisi par son démon, ne put y tenir, et donna de la voix, un peu... Le musicien se tut et accompagna. M. Georges poussa : « Chante »! commanda-t-il à Madeleine, qui avait hérité de la passion résonnante et qui, timide comme une bête à Bon Dieu, fit sa partie en fredonnant, bien entendu, car on ne pouvait ici moduler le chant sacré. L'artiste reprit à la basse, ronflant de toutes ses cordes profondes et d'une voix d'orage, en augmentant la vitesse de translation de son appareil.

Il y eut un tonnerre d'applaudissements. Gabrielle se cramponnait au bras de M. Georges : « Madame Olmer ne sera pas contente... » Mais le mélomane et le brave homme avaient pris possession de l'administrateur de Boncourt, et dans son succès, il rougissait et suait d'aise, de passion. Berthe et Margot se gonflaient comme des canaris, et Gabrielle, après tout, allait céder... Julot balançait les épaules : un patron pareil, quand même c'était pas du pipi de chat!... D'autant que cela s'aggrava subitement. Le musicien attaqua un autre air, en commandant : « Tout le monde »...

et « tout le monde » reprit, dans une vraie tour-
mente dominée par le baryton de M. Georges, et
bientôt par le soprano léger de Madeleine.

> Je l'appelle ma p'tite bourgeoise
> Ma tonkiki, ma tonkiki, ma tonkinoise
> C'est la fille d'un mandarin très fameux...

Le chef musicien râclait le diable et rugissait
d'une singulière bouche. Il avait, malgré le fard,
une fort belle figure régulière dont le seul défaut
était un menton de galoche, mais d'une énergie !...
Un menton droit, trop long, trop fort, qui lui
conférait une sorte d'étrange autorité. Il gueulait,
mais juste, et toute la bouche de travers, comme
si la force du son eût déformé l'instrument.

> C'est pour ça qu'sur sa poitrine,
> Ell' a deux p'tites mandarines...

— Pousse Madeleine !
— Non !
Mais la voix de M. Georges, sa voix de tête,
monta jusqu'aux cintres :

> Ell' est douce, ell' est gentille
> C'est comme un zoiseau qui chante...

L'assemblée rugissait. Mais l'enthousiasme fut
porté au comble quand, sollicité par quelques me-
sures du violoncelle, M. Georges renonçant à toute
réserve se leva pour entonner :

Il s'appelait Boudoubadahou
Il jouait de la flûte en acajou;
C'était le plus beau gas
De toute la nouba, ah, ah!...

Le musicien avait compris. D'un geste impérieux, il avait créé le silence, et M. Georges, hors de lui, détailla son solo, la main sur le cœur et pâlissant, atteignant aux plus hauts sommets de l'émotion pour distiller les mérites et la mort, hélas, de Boudoubadahou. La foule reprenait au refrain. Beaucoup, la plupart, l'avaient reconnu, et la gaieté normande prenant le dessus, ils en mettaient, applaudissaient, faisant une ovation au président des chasseurs.

Quel triomphe!...

o

On retrouva l'homme-orchestre à l'hôtel où l'on allait casser la croûte avant de reprendre la nuit. Il voulut saluer M. Georges, et tous s'écartèrent, comme de juste. L'artiste était vraiment fort distingué, parlant bien, avec une intonation d'excellente compagnie, presque affectée. Il ponctuait ses mots avec un rien d'accent anglais. Il s'exprimait dents serrées, ce qui donnait une nervosité toute spéciale à sa conversation, dans ce pays où l'on ouvre tant la bouche. Il parlait toujours l'épaule en avant, parlait de profil, et semblait excédé, ne condescendant à être aimable que par un suprême effort de courtoisie.

Par exemple, il sifflait le vin blanc avec une de

ces désinvoltures!... Comme négligemment, il faisait tourner le verre ainsi que les dégustateurs, et hop, dans le four! « Remettez-moi ça, Madame Rémy... » Il fut plein d'attentions envers ces dames et félicita Madeleine avec une insistance qui lui rendait son rang incertain. Berthe et Margot le dévoraient. Il rendit hommage à la place hiérarchique de Madame Gabrielle. Elle était en beauté. Ses magnifiques yeux bruns s'adoucissaient, et la chaleur lui conférait un fard, un éclat sensationnel. On les regardait beaucoup dans l'estaminet, et on les regardait avec une chaude sympathie. M. Georges continuait de briller, de scintiller, porté au rouge vif; parlait musique avec volubilité et précision. Après la chasse, la musique était la seule chose sur quoi il avait des idées personnelles, mais dans une sorte de sentimentalité prolétarienne qui lui faisait s'exalter indifféremment sur la *Tonkiki* ou sur le Cinquième Concerto de Beethoven.

On se quitta amis comme cochons, à deux heures du matin, et la réserve serait plutôt venue du musicien, ce que les dames enregistrèrent.

o

— Y a une matinée, aujourd'hui Jeudi, Bébelle, viens-tu avec moi? Personne ne saura; retournons au cirque.

— Monsieur Georges, vous allez encore vous laisser prendre! Madame Olmer aurait été très mécontente, si elle avait su la séance de l'autre soir.

Les bons gros yeux flottants de M. Georges
prirent une expression soucieuse :

— Vraiment, tu crois? Ma sœur est parfois
moins sévère... C'était pourtant bien agréable...

— Oui, mais vous oubliez que vous êtes en
vue, un personnage, l'administrateur du domaine...

— Moi, un personnage!... Un personnage?... Ah,
ma pauvre Bébelle, si tu savais!... D'ailleurs, toi-
même, tu ne retrouves pas ta gaieté. Non; je
le vois bien. Nous partirons à deux heures et
serons de retour pour le dîner. Il y a un nouveau
programme. Donne tes ordres.

— Si vous voulez, — fit-elle, avec mélancolie.

o

Ils se logèrent tout en haut, cette fois. La jeune
femme ne manifestait guère, ne riait pas, et
M. Georges ressentait quelque vague à l'âme. Sa
nature incontrôlée lui permettait d'assez subtiles
impressions quand il ne le cherchait pas. Encore
foule. Le musicien donnait en grand. Il les reconnut de son petit œil froncé, et, en saluant le public,
il dirigea vers eux son sourire et son inclinaison.
L'orchestre de macaques fit face au couple...
M. Georges, qui était resté couvert selon les us
anciens (puisqu'il se trouvait dans un lieu public
et sans personne derrière lui), M. Georges retira
sa casquette d'amiral et s'épanouit enfin. Le musicien, avec finesse et jugement, avait compris que
l'étonnante participation de l'autre soir ne pouvait se renouveler, mais il marquait son plaisir de

les revoir, et qu'ils fussent déjà revenus pour l'entendre.

Ils se retrouvèrent devant le vin blanc. L'artiste s'était rendu à l'hôtel comme à un rendez-vous tacite. Ils s'abordèrent avec effusion, et Madame Renard fut saluée très bas, avec cette raideur distinguée qui intimidait. Elle ne dit mot, se contentant de sourire et d'approuver, se tenant exactement à sa place, mais charmante, dans sa finesse brune, et cette sorte de lumière qu'elle épandait. Les hommes parlaient musique avec une abondance extrême, surtout M. Georges, patouillant dans ses préférences. L'autre s'intéressait, à coup sûr, mais avec plus d'esprit critique. Alors, M. Georges, tout à fait pris, sortit ce qu'il avait combiné et qu'il voulait réaliser, malgré une certaine réserve de Gabrielle. Voici : pour la fête du Saint-Patron du village, le maëstro ne consentirait-il pas à apporter son concours à la cérémonie que M. Georges avait mise sur pied, dans l'église? Jules irait le chercher dès le matin, et on le ramènerait pour la représentation de l'après-midi... Quarante minutes de voiture... Gabrielle attendait, en suspens. M. Maret hésitait. Il demanda les éléments qu'il aurait à renforcer, à diriger. M. Georges, non sans orgueil, parla de sa « schola », des fillettes que le curé et lui dressaient. Puis, du déjeuner, qu'on avancerait; du château...

— J'accepte, — fit M. Maret d'un solide coup de gueule.

M. Georges repartit, enchanté.

Dès huit heures, le Dimanche, le maëstro était à l'église. En un tour de main, le vieil harmonium montra ses entrailles. Ses organes, dévissés, gisaient, lamentables, et, par-dessus l'artiste accroupi sur les pièces détachées, le curé et M. Georges échangeaient des regards soupçonneux. Mais cela se remonta comme par magie, dans une certitude frappante. Puis l'homme-orchestre attaqua et l'harmonium retrouva des poumons et de la gorge. M. Maret était un peu effrayant. Il vous malaxait cette vieille boîte à musique comme un cavalier de concours qui veut galvaniser une rosse, et qui le réussit à force d'éperons, d'ardeur, de science. Sur son banc, il se démenait dans une sorte d'épilepsie, enfonçant de droite et de gauche, piquant, remontant, exigeant des soufflets leurs dernières vigueurs. Autour des deux personnages ébahis, la « schola », le chœur des fillettes, se serrait, s'inquiétait, mal rassuré. Les sons claquaient, bramaient, faisaient tinter les voûtes avant de s'échapper dehors, dans la belle matinée.

—Allez-y, — brailla le maître : — Allons, attaquez!...

Dès les premières notes vocales, il cria au milieu du charivari : « On chante avec la gorge, avec le palais, sacré nom! pas avec le pif... Placez la voix. LA, LA!...

Et par-dessus le menton énorme, le doigt, quittant les touches, l'index, s'enfonçait jusqu'à l'articulation. Il les reprit, les remania, ces oiselles nasillardes, les brassa comme il venait de faire avec la casserole à plectres, et il finit par les

convaincre; les subjuguer, plutôt. Son tonnerre les
enveloppait de fracas. Sa justesse rectifiait les
notes incertaines. Il solfiait à tour de gorge :
« Do, do, si, si bémol, nom de Dieu! » Le choquant,
c'est qu'il semblait tout à fait ignorer le respect
dû à la maison de prière, et que, dans l'église,
auguste et vétuste, il s'étalait aussi franchement
qu'au caboulot. Le curé finit par sourire avec
aigreur. M. Georges, après quelque effarement,
fut ressaisi, et y alla de toute son âme, hurlant lui
aussi, la gorge bien droite, comme les chiens vers
la lune, la pomme d'Adam saillissante pour que
cela sortît mieux. Un chahut infernal, mais qui,
à la dixième reprise, devint presque satisfaisant,
puis musical, quasi-angélique même, quand les
poulettes villageoises, elles aussi après avoir souri
niaisement, s'être regardées en dessous (et bien
pincées l'une l'autre), enfin empoignées, enfin pos-
sédées, n'eurent plus d'yeux que pour la grande
gueule de traviole, les mains furieuses, le corps en
transe de l'athlète aux soufflets... « Ouvrez la goule,
Bonsoir! Allons, les gosselines, je veux voir toutes
les glottes; do, do! Les amygdales, à moi! Ré, ré...
Allons ta pointe, la mafflue... ta pointe, la sécote!...
Dormez pas, les guimauves... »

La tante du curé, que le tintamarre avait fait
accourir, s'enfuit d'angoisse et pour museler Mé-
dor, le chien loup qui hurlait.

Rien à faire, rien à dire, pas de pauses, pas de
conversations. Musique, et musique avant tout!
Plus de papotages, plus de citations musicales;
rien autre que le boulot, que l'harmonisation de

ces voix, que leur ensemble à obtenir, et le jeu divers de leurs parties : « C'est un départ en canon nom de nom! Mais comprenez donc, en canon, en vous poursuivant, les unes après les autres. En canon!... Partez, les trois blondes... » En fait de canon, le curé ne connaissait que ceux de la messe et celui du polygone; il cherchait l'artillerie... « HALTE! » prononça enfin le musicien qui s'épongeait... « REPOS..... »

— Voulez-vous boire quelque chose, — demanda plaintivement M. Georges qui retombait sur terre.

— Un p'tit vin blanc, — fit le maëstro — et on remet ça. A onze heures, elles chanteront!

Et le curieux, encore, le bizarre, c'est qu'en dégustant son vin de messe, l'homme aimable et courtois avait reparu, pinçait de la bouche, parlait de profil...

— Ah, bien, ah bien, — disait M. Georges, en balançant les pans de l'écharpe d'Iris : — ça.!...

— La musique était jadis — et elle l'est encore, — fit sévèrement l'énergumène calmé, — une soumission complète au rythme, à l'effort vocal, une soumission médullaire. Quand David dansait devant l'Arche, je vous assure qu'il en suait une, cré nom!... Qu'il transpirait, Monsieur Chapelle, qu'il transpirait!...

o

La messe en musique fut elle aussi triomphale. La tante du curé, conquise, en jetait des feux. L'assemblée, pantelante, restait bouche bée, tressaillant aux envolées et roulant des yeux aux

dégringolades. D'ailleurs, maintenant qu'on était
en public, en représentation, quoi, le maëstro
avait repris toute décence. Le *Sanctus* enfièvra
tout le monde. Le maître de chapelle n'avait pu
abandonner sa danse de l'ours, assez surprenante
pour devenir un peu hypnotique, mais l'accord
général était obtenu, et parfois, en se renversant
les yeux clos pour monter la note, son visage extatique prenait une sorte de beauté à laquelle on
ne pouvait pas échapper.

A table, ce fut vraiment un homme du monde,
écoutant plus qu'il ne parlait. M. Georges n'avait
pas voulu qu'il déjeunât dans la cuisine, et le
service fut fait par Madame Renard elle-même,
en soie noire avec tablier de satin.

Comme la fatigue d'une écuyère avait fait renoncer à la matinée, il ne partit qu'après une collation dînatoire, au jour tombant.

III

Le Mardi matin, M. Georges s'éveilla avec la sensation que quelque chose s'était modifié... En effet, il était huit heures moins dix, et il n'avait pas son déjeuner qui lui arrivait ponctuellement à sept heures et demie :

« Bébelle se sera rendormie », pensa-t-il, « tant mieux, elle ne se reprend pas... » Et, affectueusement, il se garda de sonner pour ne pas abréger son repos. C'était méritoire; il était comme les canards, le bec tendu sitôt les yeux ouverts. La veille, Julot avait été dirigé sur Poitiers pour en ramener de délicates pièces d'écrémeuse, et d'ordinaire la jeune femme semblait soulagée, un peu délivrée par le départ du conjoint; mais, cette fois, la mélancolie dense qui la freinait ne s'était nullement dissipée. M. Georges resta sagement sous ses couvertures en roulant des pensées désagréables.

Les chiens, qui entraient avec Madame Renard, grattaient à la porte. Il ne faisait pas froid, M. Georges, considérable dans sa bannière listonnée de rouge, traversa la pièce essayant de ne marcher que sur les tapis, et leur ouvrit. Mais il se braqua tout de suite : une enveloppe s'étalait sur

le carreau. Par exemple!... Il la saisit, repoussant
les bons clebs, l'ouvrit. N'y vit goutte, car il
n'avait pas ses verres, retourna à grands pieds nus
vers sa table de nuit, et sans même rentrer sous les
couettes, se précipita.

C'était — horreur, désolation! — quelques lignes
de Gabrielle le prévenant QU'ELLE PARTAIT......
malheureuse, désolée, au désespoir de lui faire de la
peine, mais que *c'était plus fort qu'elle*. Elle lui
demandait de prévenir Jules qui rentrerait le soir.
Elle profitait de son absence... Qu'on ne la recher-
chât pas. Plus tard, elle donnerait des nouvelles,
mais, en attendant, Jules pourrait se séparer d'elle
légalement; commencer....

LA FOUDRE! M. Georges, bouleversé, atterré,
poussait de petits cris de douleur. Mais pourquoi?
pourquoi?? Elle ajoutait, que, pour un remariage,
elle conseillait à Jules d'éviter Mme Letort, qui ne
lui donnerait que des ennuis, et de plutôt se
rabattre sur Mme Mancel, seule digne de lui
succéder....

Mme Letort, Mme Mancel?... Ce Jules!....

Mais il n'y avait rien eu entre eux, entre Jules
et elle, au départ. Elle lui avait dit adieu devant
tous, bonnement, sans colère... Elle PARTAIT!...
Quelle détresse subite avait bien pu la prendre?
Ou bien (et il sentit un abîme de chagrin s'ouvrir
au fond de lui-même), ou bien, quelle passion?
Un amour?... La pauvre cervelle de M. Georges se
débattait comme une oie dans la gueule d'un loup.
Une tendresse étrangère? Gabrielle était raisonnable et prudente, quoiqu'elle fût sensible à l'amour.

Nous voudrions que nos amies ne fussent ardentes que pour nous.

La sensation de rêve éveillé s'amplifiait. Des images vives troublaient l'apathie de ses réactions habituelles. Oui, sage, raisonnable, bien que... Il revit, au milieu des hommes qui l'entouraient tout de suite, Bébelle et sa contenance calme et réfléchie; son attention, mais son éloignement. Elle se défendait bien, sa jolie petite mule dorée! Elle tenait les méchants à distance sans les irriter, uniquement par sa bienséance et l'économie de sa parole.

Au comble du désarroi, surpris par ce flot d'interrogations, il marchait pieds nus dans sa chambre au carreau rougi, en chemise, et, quand il se vit dans la glace avec son madras dénoué et ses cheveux hérissés en deux courtes cornes autour de sa calvitie, il se fit horreur. Mais d'autres éléments entraient en jeu...

Il enfila sa robe de chambre, mit ses chaussettes en geignant et descendit.

o

Les jeunes filles s'efforçaient. Elles étaient consternées, et le coup d'œil que M. Georges reçut de la belle Berthe montrait qu'elle savait tout; qu'elle le plaignait. Quand il entra, elles restèrent jugées, les bras pendants...

— Ah, bien... Ah bien!... — fit M. Georges qui répétait beaucoup : — Savez-vous quelque chose?

Elles ne savaient rien, si ce n'est que la chambre du ménage était vide, où elles avaient grimpé tout de suite en voyant que Madame Renard tardait.

Madame Renard avait emporté beaucoup d'effets
avec la grosse valise qui était à l'ordinaire au-dessus de l'armoire, mais tout se montrait méticuleu-
sement rangé, avec, sur la table, le livre de comptes.

Une voiture avait été entendue vers une heure
du matin.

M. Georges gardait si peu de confiance en lui,
que, d'entendre la confirmation du malheur par
une bouche étrangère, lui en donnait un sentiment
infiniment plus vif. Il s'assit catastrophé. On lui
mit sous le nez sa tasse de chocolat qui se recou-
vrait d'une pellicule. Elles n'avaient pas osé la
lui monter. Il ne la sentit même pas, bien loin de
la humer.

Ces enfants ne lui diraient rien qui fût utile. Il
ne pouvait qu'à peine les interroger... Elles appuyèrent toutes deux sur la tristesse de Madame
Renard. Il aurait voulu les questionner sur les
fréquentations de Gabrielle, car il savait combien,
entre elles, les femmes pratiquent la divination,
mais il ne pouvait se livrer à ce point. Et il avait
tellement envie de pleurer!

Il but le chocolat, s'arrêtant et hochant la tête.
C'était aussi un désastre matériel. Madame Olmer
s'absentait si souvent qu'il fallait une tête bien
organisée pour le service général. En attendant,
Berthe prendrait la cuisine, comme elle venait de
le faire. Il le lui dit de ce qu'il appelait sa pauvre
petite voix de vieux, que l'émotion dissociait. Elle
assura qu'elle y mettrait tous ses efforts, et elle
releva d'un coup de tête et d'un geste ses beaux
cheveux blonds. C'était une superbe et bonne fille,

et M. Georges, un instant, la considéra avec gratitude. Mais, si, jadis, il avait apprécié ces plantureuses, aujourd'hui, il n'avait d'admiration que pour la finesse, la sveltesse. La vivacité, aujourd'hui, le troublait, quand autrefois, seule l'inertie... Mais Gabrielle reviendrait. Ce n'était qu'une fugue. On ne « quitte » pas ainsi....

o

Il alla avec la voiture chercher Jules à la gare. Il menait sagement, assez fiérot d'être titulaire d'un des plus anciens permis de conduire. Jadis, durant sa jeunesse, il s'était intéressé à l'auto, et il menait avec une sagesse déshonorante. Mais, cette fois, la casquette à feuilles de chêne bleues sur le fond de la tête, il ne prêtait aucune attention aux choses de la route, et il faillit écraser un cycliste. Il fut agoni d'injures. Ça lui parut s'adresser à d'autres. La précoce chaleur, orageuse, l'accablait.

Le déraillard arriva, et, au dernier wagon dc troisième, M. Georges aperçut la brave figure de Julot, avec son sourire de contentement, tandis qu'il passait le bras en dehors pour ouvrir la portière. Et, terrible! que M. Georges pourrait-il répondre à cette gaieté? à ce plaisir du retour?

Pas la peine d'aller sur le quai : trop de monde! Il attendit, courbé, près de la voiture. Jules parlait à un quidam, un peu sans façon, quand même, car, enfin, il faisait attendre son maître! Mais tout de suite, ayant visé M. Georges, il s'inquiéta :

— Y a quèque chose, M. Georges?

— Hon, hon!... — marmonna l'autre qui regardait les dernières gens gravir le raidillon, et il acquiesça. Julot comprit, jeta ses colis dans le fond, sans se presser, puis s'en alla vers la manivelle : on sait toujours trop tôt les désagréments, dans le peuple... On aime à les annoncer mais on ne tient pas à les apprendre. Il se dirigea donc vers le tourne-broche pour lancer son moteur.

— Attendez, Jules...

Ils étaient seuls.

M. Georges s'approcha alors du chauffeur et lui souffla :

« Elle est partie......

— Qui ça?

— Qui ça? qui ça! Mais Gabrielle, Bon Dieu! Gabrielle est PARTIE!... Tu entends, partie! vous entendez? Partie de cette nuit, on ne sait où; emmenant ses affaires... Pour tout à fait, nous délaissant, vous, moi, la maison....

Et brusquement, par décence, pour ne pas voir sur des traits l'effet de ces désastres, il toussa en levant les yeux, et cela lui tira des larmes.

L'homme abasourdi, gratta une petite tache sur le radiateur de cuivre, et répéta pour se l'enfoncer :

— Elle est partie....

Et il s'écria, se tapant le poing dans la main :

« J'suis sûr. Plus de doute... Avec le musico, hein? J'la connais. C'est le musico qui l'a soulevée... J'la connais!.....

— Quoi? Quoi?

— Oui, pas de doute, le musico! Elle le regardait à sa manière, en douce, et sans poser... Elle cueillait l'amour... Ah, j'la vois! Et pas un oui ni un non, quand j'disais qu'il chantait bien.....

— Le musico!... le musico!!! LE MUSICO!!!!! — râlait M. Georges en montant la gamme, dans un paroxysme de fureur et de surprise.

Il piétinait devant la bagnole, sa casquette d'amiral au poing. Il s'épongeait le front, essuyait le cuir du képi. Son front couvert de sueur; ses cheveux décollés et qu'une petite brise venant de la voie taquinait, son front se cerclait d'un gros bandeau rouge... — Le musico??? tu crois? Vous croyez?

— Oui, le sacré musico!

— Mais c'est une infamie! C'est impossible! Il ne pensait qu'à son orgue, qu'à ses chants... Quand l'auraient-ils arrangé?

— Dans l'auto, en revenant, Dimanche soir. Ils étaient tous deux derrière, et nous en avions trop dans la lampe, vous et moi, pour surveiller.... Il n'avait bu que du blanc, lui, et elle ne boit jamais....

— Le musico, dans la voiture, dans la Panhard, — braillait M. Georges en montrant le poing au Ciel... — Dimanche, dans le fond... — Il roulait des yeux blancs : — dans l'auto...

— Oh, — fit le mari berné, — y avait pas besoin, aussi, de toujours balader Gabrielle. Venez donc par ci, venez donc par là! .. L'auto, ça grise les femmes.

Et il eut un regard en dessous.

— Ils ont arrangé cela dans mon auto!...

— Celle du Pape, ç'aurait été le même prix.

— Le Pape? que vient faire ici le Pape? Laissez le Pape!

Jules commença d'avoir peur; oui, la figure du maître l'effrayait : « Il va s'envoyer un coup de sang... »

— M'sieur Georges, vous frappez pas de trop... Elle reviendra peut-être... — il lâcha précautionneusement : — C'est pas la première fois...

— Elle a fait des fugues, Gabrielle!?

— Deux ans après notre mariage; elle est restée trois mois ailleurs... Mais — reprit-il, soudain véridique, — c'était après un attrapage avec moi, et elle n'avait pas tous les torts. Elle était partie seule. Mais cette fois, y a le violon. Le violon, ça la rend folle. Y a rien eu entre nous. C'est le crincrin...

— Le crincrin... — faisait M. Georges en s'éventant à tour de bras; — on est joli!... Mais faut aller à sa recherche. Pouvez-vous nous conduire, Jules, parce que, moi, impossible. Si vous vous sentez mal, allons prendre un vulnéraire...

— Non, — grogna l'autre; et soudain avec une rage froide, inattendue : — C'est pas la première fois que je suis C. C.!

Et il lança le moteur avec une violence inquiétante.

o

L'un et l'autre, un peu calmés par ces paroles dangereuses, s'installèrent. Julot démarra.

Quand on eut grimpé la côte, M. Georges, qui

gardait sa casquette sur ses genoux, déclara :

— Le mieux à faire, c'est de rejoindre tout de suite Thibeauville pour savoir ce qu'est devenu le cirque.

— Non, — réplique sombrement Julot, — j'en peux plus! Vous conduirez vous-même, M. Georges, car, moi, au torchon! J'en ai ma claque.

— Encore un effort, Jules!

— J'dormirais au volant.

Ils roulaient assez lentement pour donner du poids au refus de Jules. M. Georges hochait la tête. Soudain, il émit :

— Rangez la voiture sur la berme et arrêtez le moteur....

Julot le regarda de côté. M. Georges semblait cependant moins rouge. Il obéit. La voiture stoppa sous un hêtre, juste en face de la trouée du panorama, sur la vallée scintillante.

« J'oubliais, Jules, c'est grave : elle disait qu'elle vous écrirait bientôt... *pour que vous puissiez divorcer.*

— Hein?

— ...et elle vous conseillait d'éviter Mme Letort, pour vous décider sur la mère Mancel...

— Comment? elle savait, déjà? Bon Dieu, y a pas quinze jours que j'ai contacté...

— Saperlipopette! — fit M. Georges, en s'enfonçant la casquette jusqu'aux ouïes, — voilà bien des vôtres!... Mais, Seigneur, vous ne pouvez donc pas vous tenir tranquille!? C'est de la rage, et avec une femme comme elle!... Je ne dis pas que de temps en temps, mais à ce point-là!... Et la grande Berthe, il paraît que vous la cherchez. Et l'autre, le poulet, *idem*. C'est dégoûtant, je vous le dis, dégoûtant! Et voilà, voilà, nous sommes dans de beaux draps, maintenant!

Julot remit doucement la voiture en marche. Il réfléchissait et, après un temps convenable, M. Georges reprit, moins agité, mais sévère :

« Je vous ferais remarquer que Madame Olmer aura son mot à dire. Elle sait tout, rien ne lui échappe... Je ne vois pas comment, d'ailleurs, — ajouta-t-il avec un découragement prostré; — Mais si Gabrielle ne revient pas, il y va certainement de votre place. Il faut un ménage à Boncourt. Et votre situation, elle était belle. Tout le monde jasera. Ma sœur sera vite avertie de vos... vos débordements.

— J'déborde pas tant que ça, — bougonna Jules. Il réfléchissait, les sourcils froncés. Puis il secoua la tête : — J'aurais beau faire, beau dire, s'il y a le musico, on est foutus!... Si vous croyez qu'il y a de ma faute, je veux bien faire les premiers pas, mais rien ce soir. J'y vois plus. Et puis, faudra suivre les roulottes. Ils ne sont pas restés à Thibeauville, et ils font de vraies étapes. Demain, M. Georges.... — et, soudain, se redressant : — Et puis, zut et zut!... Une femme de perdue, dix de retrouvées!...

— On dit cela à trente ans, — répliqua M. Georges avec une amertume qui lui crispait la bouche.

Il était tout courbé. Les pans de l'écharpe lui touchaient les genoux.

IV

Et le lendemain fut, et le vide, et la rêverie désolée, dès le réveil. Les fillettes avaient bien monté le chocolat avec beaucoup de bonne volonté, mais leur gentillesse ne pouvait suppléer. Au contraire, cela irritait la blessure. M. Georges fermait les yeux pour ne pas retrouver devant ses regards la grande charpente de Berthe, en place de la petite esclave. Cette carrure de Cérès adolescente, cet éclat de blonde, au lieu de l'élégance adroite, de cette ébène profonde, de cette matité... Et les angles charmants de Margot n'avaient plus de prises. Il devenait difficile. Ni l'abondance ni la verdeur ne lui agréaient plus. Il lui fallait l'équilibre de l'autre, sa justesse, et aussi la petite inquiétude que donnait au maître sa perspicacité, avec ces yeux interrogateurs, scrutateurs, qui le devinaient; qui se mélangeaient si bizarrement à l'acquiescement de son sourire, à son indulgence attendrie. Retomber ainsi à l'enfance, c'est doux. Il se sentait percé à jour, dominé par Gabrielle, mais alors, affectueusement, maternellement. Il lui venait aussi un grand confort de ne pas avoir à cacher ses faiblesses.

Elle le connaissait encore mieux que sa demi-sœur, et elle le soutenait, en fait, contre la Patronne; dans ses rapports difficultueux avec Madame Olmer, M. Georges était toujours sûr de trouver, en Bébelle, une alliée immédiate. La maison, sans elle...

Quand sa sœur était absente, M. Georges prenait ses repas à la cuisine. La grande salle à manger le glaçait, avec son cerf égorgé par Oudry et la tapisserie de verdures. Dans la cuisine, il s'installait au haut-bout, le dos au fourneau. Madame Renard à sa droite, et le mari à sa gauche. Lui seul avait une nappe et son couvert d'argent. Les chiens assistaient.

Déjà, il lui parut que la cuisine était moins accueillante, moins en ordre, moins étincelante. Berthe avait préparé le repas et elle était rouge et hâtive. Elle montrait des mèches un peu dépeignées, quand l'autre, dès le matin, apparaissait si bien fourbie, à point...

Margot avait laissé vide la place de Gabrielle, comme si personne n'avait le droit de s'asseoir à côté de M. Georges.

Le rôti était trop cuit, une pointe. Berthe s'excusa.

— Mais c'est bien, très bien!...

Oui, comme la copie d'un élève rappelle la toile du maître.

« Je ne reviendrai plus ici », songea tristement M. Georges; « au retour de ma sœur, je ne quitterai plus la salle à manger »...

Julot était sombre. M. Georges, pour trouver

une contenance, accorda beaucoup d'intérêt aux
lettres et aux journaux que le facteur venait de
déposer. Lui, lire à table : « Nous ne pourrons
plus durer... »

A trois heures, il n'y tint plus :

— Jules, nous partons.

o

Jules s'était adonisé, et cela parut de bon augure;
mais ils éclatèrent à six kilomètres du château.
Jules dut revenir à pied à Boncourt, et M. Georges
attendit près de deux heures, dans la voiture, en
plein soleil. La campagne lui parut morne, implacable, menaçante... Avec le fiel des décourage-
ments suprêmes, il imaginait le nouveau couple,
et qui devait être en plein bonheur. Gabrielle
aimait la musique, en restant complètement iné-
duquée. Elle interrompait tout, quand M. Georges
se mettait au piano. La musique la fascinait. Oui,
la fascinait... Le crincrin!

o

On eut encore des ennuis, et ils n'arrivèrent qu'à
six heures du soir à Thibeauville. La nouvelle
chambre à air était trop sèche et sa valve fuyait.
Jules se montrait d'une humeur massacrante —
ou peut-être était-il triste? M. Georges avait
remarqué que chez le peuple, l'humeur accompagne
ou remplace la tristesse. Mais M. Georges ne s'occupait plus que de ses intentions, de ses projets. Il
fallait neutraliser Julot :

— Vous avez eu de grands torts avec elle, Jules;

une femme aussi fière admet mal qu'on la trompe, qu'on la trompe tout le temps, et si près de chez elle. Et remarquez qu'elle ne vous « disputait » jamais. Ça finit par s'accumuler.

L'autre le regarda sombrement et ne répondit pas.

« Vous opposeriez-vous à ce qu'elle nous revînt? Vous ne le pouvez pas, Jules! C'est vous qui avez commencé. Oui, parfaitement — reprit M. Georges, avec une énergie rare chez lui : — Vous avez COM-MEN-CÉ.... Vous devez être prêt à tout faire pour qu'elle revienne.

Jules ne se décidait pas. Enfin, sans regarder son voisin :

— C'est à vous de la décider, Monsieur... J'ai l'idée que je ne compte guère dans ses projets.

— Croyez-vous, croyez-vous?... — répliqua le maître avec embarras; — vous n'êtes pas juste pour elle. Elle montrait toujours le plus grand souci de vous, de votre bien-être, de votre tranquillité...

— Mettons! — répondit l'autre, en secouant les épaules : — Bon Dieu, on est encore à plat!

Quand ils repartirent, M. Georges renouvela ses tentatives :

— Avant ces dernières histoires... et je sais aujourd'hui qu'avec la petite Letort, ça fit du grabuge. Son mari l'a rossée à lui enfoncer les côtes...

Jules eut un geste fataliste et avoua, très bas :

— Gabrielle n'a emporté que la moitié de l'argent...

M. Georges s'illumina :

— Voyez-vous.... Quelle femme, quand même, quelle honnêteté!. Nous la ramènerons. Peut-être qu'il n'y a personne. Qu'elle est partie seule, découragée... Vous ne pouvez la sacrifier à ces chienlits, à ces roulures... Mais, alors, si elle est seule, nous avons perdu toute trace. Pourquoi rechercher le cirque?

— Oh si! Je suis sûr et certain. J'ai toujours su, quand elle s'amourachait. Allons à Thibeauville...

— Ah, ah!... — geignait M. Georges, peiné.

Toute son inquiétude revenue. Cependant il tint à mettre les chances de son côté. En bon rural et en vieux maître de maison, il savait le singulier pouvoir de l'argent et des « augmentations ». Confidentiel, il se pencha vers son homme (ces choses-là se disent toujours à mi-voix, même si l'on est seul; la délicatesse l'exige) : — Ecoutez, Jules, si elle revient, je vous donnerai, sans le lui dire, à vous personnellement, deux cents francs de plus...

Il y eut une embardée :

— Deux cents, par mois?

— Oui, par mois.

Jules ne parla plus et accéléra.

o

A Thibeauville, le cirque était parti. Ils perdirent du temps à se renseigner. A l'hôtel du *Cheval Blanc*, le patron ne savait rien. La troupe s'en était allée dans la nuit de Dimanche, sur Pont-

L'Évêque, à quarante kilomètres bien tassés. Et les
enquêteurs étaient arrivés si tard qu'on se devait
de dîner. Le dîner du maître, peu importe, mais
pas celui du chauffeur; c'est sacré! Et puis, il fallait renouveler le carbure des phares. Jules n'avait
pas pensé rouler de nuit.

Ils furent à neuf heures et demie à Pont-
L'Évêque. Le cirque était là, sur la place de la
Gare. Il y avait relâche. Le relâche était mauvais
signe. Vainquant sa gêne, M. Georges se présenta
à la roulotte la plus importante. On le reconnut
tout de suite. Quand il demanda des nouvelles du
musicien, on lui répondit qu'il avait quitté la troupe.

— Quitté la troupe?...

Et il demeurait un peu hagard, sa casquette
d'amiral sur la poitrine, l'écharpe pendante.

On le considérait avec une sympathie apitoyée;
il le percevait. Comme les chiens, il décelait la
sympathie, et il devinait qu'on devait être au
courant...

Attirant la matrone bienveillante, il osa lui
demander :

— Et... il est parti seul?

— Non, Monsieur : avec la jeune femme en
noir... oui!... Il a été la chercher Lundi soir, dans
l'auto du fruitier.

— Ah, ah... Et, où sont-ils partis? Savez-vous?...
— demanda M. Georges, au comble de l'émoi; —
je suis venu... avec le mari...

Tous s'étaient détournés, en braves gens qui
ne veulent pas ajouter à la peine. La matrone
l'entraîna jusqu'au bas de l'escalier :

— Pour moi, mon pauvre cher Monsieur, ils n'ont pas quitté Thibeauville. Il a dit qu'il nous rejoindrait d'ici une quinzaine, mais j'en crois rien... Il a emporté tous ses effets... Voyez donc au *Cheval Blanc*. Il s'était fait un ami du patron, mais défiez-vous!... Il est pas commode...

Elle désigna du pouce une jeune fille assise la tête dans ses mains sur l'escalier d'une autre roulotte :

« L'amour l'avait amené; l'amour l'a repris. »

M. Georges serra les mains de la femme, avec effusion, désolation. Elle secouait la tête et souriait tristement, la bonne grosse mère aux accroche-cœurs cirage...

o

Jules fumait, assis sur le marchepied. Il interrogea du menton, sans se lever, déjà complice, moins respectueux.

— Elle est avec lui, — émit M. Georges d'une voix sourde, — Ah, j'aurais jamais cru....

— Alors, on renonce?

— Non Jules, au contraire! Cet homme doit être terriblement volage. Là-bas, il y a une de ses victimes qui se désespère. Ce n'est pas sûr que l'irréparable soit accompli... Et, si... Elle serait vite épouvantablement malheureuse... Nous devons la sauver, et d'elle-même, s'il le faut...

Le chauffeur eut une expression goguenarde :

— Sauvons-la. D'accord. Mais où la sauver?

— A Thibeauville, au *Cheval Blanc*...

— Cré nom!... alors, on retourne?

— Oui, c'est ennuyeux... En route! Nous avons du carbure? Je puis conduire...

Julot secoua la tête et se remit au volant.

o

Ils reprirent la route, et M. Georges songeait, dans une fatigue terrible. Que dirait-il, comment agirait-il? Sans trop vouloir se tracer des plans, car il savait combien cela lui réussissait mal, il préparait ce qu'il allait dire, ce qu'il invoquerait ... A moins qu'au premier mot, elle ne se fâchât. Peut-être aurait-il mieux valu ne pas emmener Jules. Mais M. Georges comptait vaguement sur une décision brusquée, et d'ailleurs son trouble ne lui aurait pas permis de conduire. Tout à l'heure, il ne l'avait proposé que pour amener la réaction du chauffeur.

Ils reparurent à Thibeauville. M. Georges fit arrêter dans une rue adjacente et entra dans l'hôtel par les écuries. La nécessité, l'affliction, l'espoir le rendaient plus vif, moins mollasse, presque adroit. Il avisa les trois domestiques qui bavardaient près du puits et choisit la plus jeune, lui fit signe. Elle s'approcha. M. Georges lui mit dans la main deux rondes pièces de cent sous (ça ne peut pas tromper), et lui demanda avec un sourire, qu'il s'efforçait de rendre badin, si M'sieur Maret était là...

— Oui, — répondit la fillette, toute surprise du pourboire qu'elle serrait; — bien sûr : chambre 27...

— Et, il est seul?

— Mais non, avec sa dame...

— Bon, bon!... Parfait, parfait!... Donnez-moi
un vulnéraire...

Il entra dans l'estaminet absolument vide. On
lui versa de l'alcool. Il le but d'un trait; ça le
brûla comme une ventouse. « Un autre... » Cela
lui jetait au cœur une sorte de griserie aventu-
reuse. En souriant, on lui remplit à nouveau son
verre. Il s'assit à une table pour que la petite s'en
allât, regagnât l'écurie. Il avala la drogue qui le
fit battre doo youx, et s'élança dans l'escalier.

Il se sentait suffoquer; son sein battait et brûlait.
Au second étage, car le premier ne comportait
que dix-sept numéros. Hisse! Voilà... Un corridor
ténébreux, seulement éclairé par la lampe du palier. Nº 21... Mais s'il allait se tromper de chambre?
Non. Nº 21; compter encore six chambres en s'enfonçant vers la droite. De faibles portes de sapin;
on voyait les fibres sous la peinture usée. D'un
coup d'épaule, on eût flanqué cela par terre. Mais
il ne s'agissait d'aucune violence; pas question
de violence dans le sentiment qui l'amenait. Ses
pas faisaient ployer le parquet. De peur de se
tromper, il tâtait les chambranles. 25, 26, — 27....
Il se piéta.

Par une chance, lui qui ne fumait pas, il avait
une boîte d'allumettes dans sa poche, achetée
pour les phares. Il en craqua une : « 27 ». Le
chiffre lui apparut énorme, monstrueux. En s'arrêtant devant le 27, il avait déjà dû donner l'alarme
au couple. A moins qu'ils ne dormissent... D'ailleurs, hélas, le parfum de Bébelle...

Ah, il fallait pourtant se décider.

Il frappa.

Rien.

Il osa recommencer :

— Qu'est-ce que c'est? — fit une voix encore endormie...

Dans son émoi, il refrappa encore.

— Mais qu'est-ce que c'est, voyons!....

— C'est... MOI.... Monsieur Georges...

— Hein?

— Oh, mon Dieu!....

Les deux exclamations ensemble. Le musico et Gabrielle!...

— Oh mon Dieu!... — reprit Bébelle, tandis qu'un bruit d'étoffes froissées indiquait son mouvement, son geste. Elle devait s'arracher.

— Mais que voulez-vous? Laissez-nous tranquilles, Monsieur! — reprit la voix impérieuse du musicien.

— Je voudrais vous parler, — répliqua humblement M. Georges, en se penchant pour flûter par le trou de la serrure et ne pas trop faire de bruit dans cet hôtel affreusement vide, désert, cependant : — Il est impossible que....

— Fichez-nous la paix! — reprit la voix courroucée : — Non, mais vous ne pouviez pas rester chez vous?! Reviens, Gabrielle, — ajouta-t-on avec autorité, — et vous, rentrez d'où vous venez. Et vite, si vous ne voulez pas que je vous y aide, rondement!....

— Oh, Samuel... Samuel!...

— Quoi?

— Quand même, c'est Monsieur Georges... On ne peut pas, Samuel... Ah, Samuel!...

— Eh bien?

— Tu ne serais pas si méchant?...

M. Georges, de sa serrure, supplia :

— Monsieur Maret, je ne viens pas en ennemi...

— Mais vous venez, Monsieur, et c'est déjà inconcevable!... Inimaginable!!... Cela n'a que trop duré. Faut-il que je sorte?

— Samuel!! Je t'en prie!... On ne peut pas ainsi renvoyer Monsieur Georges... Je vous le demande en grâce...

— Oui, Monsieur Samuel, oui... — chevrota M. Georges, plus ému que jamais... Ah, Bébelle!... comment avait-elle pu?...

— Alors, quoi, Gabrielle, tu veux revenir? Me quitter, déjà?

— Jamais de la vie! Jamais de ma vie, Samuel, mais c'est Monsieur Georges, et il est si bon, Samuel, si bon!...

o

Il y eut quelques mots échangés à mi-voix; des grognements, des exclamations sourdes. M. Georges ne percevait presque plus rien que la rumeur de son sang dans les oreilles. Il fit un vœu, oui, dans sa détresse... Soudain, la porte s'ouvrit, et M. Georges déboula dans la chambre. A bout de forces, il s'était appuyé sur le vantail; sans la poigne du musicien, il eût roulé jusqu'au lit. M. Maret le repêcha, l'assit. La casquette avait chu. Gabrielle la releva, l'épousseta, machinalement, les yeux, ses yeux magnifiques, sur le bonhomme. Elle était en peignoir violet, les pieds nus dans ses mules rouges. Ses cheveux dénoués frémissaient jusqu'à ses reins. Elle brillait d'une beauté capiteuse. Elle avait tout remis en ordre, réalisé de la décence. Lui, le musico, il était en pyjama et presque élégant. M. Georges restait un peu hagard, très pâle. Le couple le considérait...

— Monsieur, — reprit l'artiste avec son meilleur ton de seigneur, — il ne faut pas que cela traîne! Cela finirait par faire du scandale, et c'est pour l'éviter que je vous admets. Madame Renard ne doit pas être soupçonnée, pas plus que la femme de César, Monsieur, pas plus!... Elle tient à ce que je vous reçoive. C'est fait. Exposez-nous ce que vous êtes venu faire, nous dire, au sujet de Madame Gabrielle, et brisons-là.

« Brisons là »... Ces mots inhabituels percutèrent cruellement M. Georges. Il aperçut soudain Gabrielle tirée entre eux et comme écartelée, rompue, tranchée, dans une sorte de jugement de Salomon... Oh non! plutôt renoncer à jamais, et il tenta de se relever, mais cela tournait encore, et il vit, sur la table, un gros bouquet de lilas dans le pot à eau. Une magnificence, qui l'entraîna vers une tristesse sans nom... Cela lui rendit sa pauvre douceur, sa douceur amollie, humiliée. Ils avaient été en promenade, heureux et jeunes, dans la beauté du printemps... Plus jamais de jeunesse, pour M. Georges; plus de lilas, plus de printemps!...

— Vous étiez donc bien malheureuse, avec nous, Gabrielle? — gémit-il.

Elle frémit :

— Oh non, Monsieur Georges!... En tous cas, jamais par vous. Je n'ai qu'à me louer....

Le beau parler gagnait tout le monde. Mais elle se tut et son geste indiqua qu'ici avaient joué des forces supérieures qu'on ne pouvait enfreindre. Elle fermait à demi les yeux et levait la main comme pour un serment, un serment négatif, puisqu'elle secouait la tête.

— Nous nous aimons, Monsieur, — intervint M. Maret, avec plus de douceur : — Ce qui est fait est fait. On ne va pas contre la destinée. La semaine prochaine, nous serons loin.

— La semaine prochaine??... Loin?...

— Finissons, enfin! Que voulez-vous savoir, Monsieur Chapelle?

Monsieur Georges se râcla la gorge, et, se redressant :

— Je venais vous demander, si, vraiment, cela est définitif. Si vous ne reviendriez jamais. Tout le monde, Renard et moi, nous vous attendons, Gabrielle. Il a eu des torts; moi aussi, certainement, qui ne vous rendais pas la maison assez gaie...

— Ce n'est pas cela, — fit-elle dans un spasme...

— Nous vous attendons tous, Gabrielle... Nous vous cherchons partout, et jusqu'aux chiens qui remontent à votre chambre. Coco, l'aveugle, s'est endormi sur votre petit lainage noir qu'il ne veut pas quitter. La maison est, en vérité, comme un corps sans âme! La maison est morte... la pauvre maison...

— La maison... — reprit-elle, d'une voix entre-
coupée... — mais Berthe est maintenant au courant. Et si vous manquez, demandez à Mâme Le-
vesne, la femme du garde. Elle a servi à Paris.
Dans quelques jours, vous n'y penserez plus.

Dans quelques jours!... M. Georges hochait la
tête.

Mais elle poursuivit :

« Je ne puis plus. Maintenant, ma vie est décidée.
Rien n'y fera. J'ai trouvé ce que je cherchais. Ce
que je ne savais pas désirer à ce point-là, mais
qui m'était plus nécessaire que tout. Je n'abandonnerai jamais M. Maret, à moins qu'il ne me ren-
voie...

Le musicien s'approcha et lui prit la main, son
grand menton secoué comme s'il mâchait du cara-
mel...

M. Georges les regardait toujours de ses bons
yeux d'otarie... Tout était dit, fallait-il donc s'en
aller? Partir? Un rien de dignité le soutenait
encore. Il se leva avec peine, remit sa casquette
d'amiral, et se dirigea vers la porte. Mais, presque
sur le seuil, il s'appuya à la paroi, un bras sous le
front, et se mit à pleurer à gros sanglots spasmodiques qui semblaient lui arracher le corps; qui
paraissaient le menacer d'une nausée. Il avait des
aspirations étouffées, des braiments....

Alors, elle aussi pleura, voulut lui prendre le
bras, l'autre, qu'il laissait pendre derrière lui; mais
il poussa un cri : c'était son bras rhumatisant.
Elle s'en souvint, et, plus affolée encore, elle lança
des plaintes aussi aiguës que des appels. Et fina-

lement, lui mit ses mains sur les épaules, ces épaules d'homme sanglotant qui s'agitaient comme sous une bastonnade.

Le musicien les regardait; les regardait avec stupeur, avec égarement. Mais lui aussi, sans doute (quel artiste!) était impressionnable, et ayant sorti quelques borborygmes, il fondit en larmes à son tour, avec sa grande goule fendue, au-dessus de son menton, qui semblait devoir avaler ses pleurs, faire bénitier, cuvette de gouttière, et chipait des gouttes d'eau au passage. Il haletait en se tamponnant du drap tandis que M. Georges et Gabrielle, liés l'un à l'autre, pantelaient des mêmes soubresauts, et que les pleurs du bonhomme tournaient à la convulsion.

Ce fut peut-être le sentiment du danger couru qui apaisa quelque peu le suppliant, et aussi les larmes de l'autre qu'il percevait vaguement. Impossible que Gabrielle s'en allât; l'homme qui voulait la ravir était lui-même sensible.

— Nous ne pouvons pas, — hoqueta M. Georges, — ainsi, nous séparer... C'est impossible et abominable, sans nom!... Puisque vous ne quitterez jamais Monsieur Maret, Gabrielle, revenez vivre avec lui à Boncourt.

— Impossible, — larmoya le musicien; — grotesque, imbécile!...

Mais soudain, possédé comme à la chasse quand il avait relevé une piste, M. Georges prévit tout :

— Ma sœur est indifférente aux détails de maison, et je serais là, — appuya-t-il soudain avec une force étrange : — Vous coucheriez au pavillon.... que je vous louerais, fictivement, fictivement, bien entendu... Gabrielle, la maison!... Vos parterres, vos animaux, votre jolie cuisine toute blanche....

— Mais, mon mari?...

— C'est inconcevable! — reprit le musico avec sa fermeté revenue, lui aussi.

— Ah, Renard, Renard!... — M. Georges pulvérisa Renard : — Il est assez penaud de ses égarements, et il est dressé, d'ailleurs. Ni lui ni moi ne vous gênerions beaucoup....

— Ridicule! — s'écria M. Maret : — Que ferais-je à longueur de jour?

— De la musique et encore de la musique, — répliqua fièrement M. Georges : — Le vieux professeur du pays est mort depuis deux ans, et tout le monde se plaint de devoir aller au chef-lieu pour instruire les enfants. Il y aurait l'harmonium à tenir et les fillettes à former. La commune le reconnaîtrait, et moi-même... Puis [à mesure qu'il parlait tout devenait facile] — puis, il y a les deux orphéons qui attendent un chef de musique, et même la fanfare des pompiers. Vous choisiriez. De la maison, vous rayonneriez, et vous prendriez toutes les leçons du pays. On ne parle que de vous, depuis la fête de l'église.

— Oh, mon Dieu! — fit Gabrielle, réellement saisie, autant par ces perspectives que par l'ardeur, l'habileté de M. Georges. Tout cela était réel, et M. Georges sentit que la jeune femme était conquise. La situation était sûre, et si elle n'eût jamais été très lucrative, au moins apparaissait-

elle sans aléas, paisible; *sans romanesque.* Tout ne
serait pas à refaire. Gabrielle eût été là pour arranger
les choses, dans un pays qu'elle connaissait si bien.
Et pas de danger à redouter des femmes artistes,
des écuyères, des accompagnatrices!...

— Dites-lui, Gabrielle, les avantages qu'il trouverait à vivre ainsi. S'il ne veut pas être tout à
fait chez nous, on le confierait à la nourrice de
Madeleine....

Mais elle restait encore inerte, sans forces, trop
brusquement retournée.

« Eh bien, dites-lui, au moins, qu'il essaie! —
hurla M. Georges, cette fois en s'apprêtant à partir mais avec une sensation nouvelle de supériorité : — Qu'il vienne passer quelques jours, quinze,
trois semaines. Trois semaines de vacances, et si
cela ne peut lui convenir, je jure que je ne dirai plus
rien; que je vous laisserai libre, sans plus. Mais,
Gabrielle, soyez raisonnable! Ne partez pas à
l'aventure quand la maison vous attend.

Il se retourna vers le musicien :

« Croyez-vous, Monsieur Maret, que la vie que
vous lui donnerez pourra toujours lui suffire? Je
la connais, c'est une femme d'intérieur, et la meilleure qui soit... Elle n'est pas faite pour courir
le cachet. Elle en mourra!! Elle en mourra!!...

M. Maret eut un sursaut :

— Mais c'est idiot, complètement idiot! — reprit-
il abasourdi. — C'est, (il accentua) — *parfaitement*
idiot...

Gabrielle en fut atteinte. Elle fulmina et ses
yeux, dans la colère, devinrent surprenants :

— Idiot? ah mais non, par exemple!... C'est
une bonne idée de M. Georges... Pour tout mettre
d'accord, acceptez, M. Samuel; acceptez pour
quinze jours!...

— Essayez, essayez quinze jours!...

Gabrielle se jeta contre son musico et l'étrei-
gnit éperdûment. Puis, s'en rejeta, comme prise
de honte, mais sa fièvre avait empoigné l'artiste,
qui, brusquement, tourna sur lui-même, alla vers
la fenêtre noire, leva sa longue figure :

— Essayer?

— Oui, et je vous emmène, — dit M. Georges, —
la voiture est là. Nous serons chez nous dans une
demi-heure. Je vais vous aider à faire vos paquets...
« Si je les laisse », pensa-t-il, « ils me fileront sous
le fusil »....

Gabrielle se précipita sur son importante valise,
cadeau de M. Georges, et, comme ivre, elle entassait pêle-mêle ses jolies affaires soigneusement
repassées. M. Maret lui-même bourrait à coups de
poings, le menton en danse, une mallette de zinc
peinte en cuir, avec de grands éclats brillants que
faisait scintiller la chandelle mouvante. «Minute »,
dit-il en se reprenant, « mon veston noir »!... Et,
avec des gestes consacrés, il remettait dans ses
plis le costume d'apparat. Monsieur Georges, moitié pleurant, moitié riant, tutoyait Gabrielle en
retrouvant ses vieux amis.

— Ah, Bébelle, ton corsage de linon rose!... et
ton petit basquin jaune, à l'espagnole!... Gabrielle,
et ta robe de soie bleu-nuit, de chez Mamzelle
Beautier. Oh, tes pantoufles rouges, Bébelle!........

— Je vais régler, — dit M. Maret...

— Mais, — fit soudain Gabrielle; — nous ne sommes pas habillés. Nous partions pas vêtus... Ah ça!...

Alors, ils rirent un peu, mais le cœur n'y était point. M. Georges dut les laisser :

— Je vais m'occuper de la note. Ah, mes enfants, dépêchez-vous! Je vous attends pour le coup de l'étrier.

o

Il descendit, moins confiant. Le patron jouait au billard et le regarda avec des yeux ronds. Le visage de M. Georges reflétait quelque joie, mais portait la trace de ses angoisses. M. Georges paya, l'oreille tendue vers l'escalier. Ils avaient bu une bouteille de champagne, ah!... Il fit servir le vin blanc dans la petite salle près du vestibule, et il remonta. Ils étaient prêts et sortaient de la chambre. M. Maret but d'un trait, Gabrielle refusa, et son ami enfila l'autre verre. En route. A l'eau, canards! En route!...

o

Mais il y avait Julot. Soudain Julot parut énorme, géant, épouvantable à M. Georges, qui, vraiment, l'avait oublié, négligé. Il sentit que le dénouement approchait, mais que, là encore, il se devait d'être à la hauteur.

Renard, à la lueur louche des réverbères, faisait les cent pas devant la voiture. M. Georges ralentit le couple et fonça. Les yeux hors de la

tête, et dans une curieuse rage, venue un peu arti-
ficiellement, mais réelle :

— Renard, demandez pardon!... Faites vos excuses à votre femme, malheureux! Elle voulait
vous quitter pour toujours. Elle a rencontré Monsieur Maret, et vous vous trompiez grossièrement,
comme d'habitude. Ils avaient deux chambres...
Il vous l'eût ramenée... Mais attention, hein? Du
regret, de la tendresse!.. L'acte de contrition avant
l'acte de foi...

— Mince!... — vagit le chauffeur, d'ailleurs si
loin de supposer son maître capable d'une telle
rouerie, d'une telle faculté d'exécution.

Le couple s'approchait.

Renard, balançant la tête et sans trop regarder :
« Tu sais, Gabrielle, tout ça, c'était pas sérieux;
quoi... C'est fini, n, i, ni! c'est mort!

Gabrielle le fusilla de ses yeux sombres, sans
répondre.

« Faudrait-il donc que je vous remercie, M'sieur
Maret? — reprit Julot, en tendant une main molle
que le musicien affecta de ne pas voir, tandis qu'il
poussait les valises dans le fond.

— Gabrielle, — ordonna M. Georges, — vous
allez vous asseoir près de Jules. Monsieur Maret
et moi, dans le fond.

— Comment? — protesta Renard, — on charge
M'sieur Maret?!

— Je pense bien, saperlipopette! Il est juste
qu'il se repose quelques jours à la maison. Vous
lui devez une fière chandelle, mon garçon, et nous
tous...

— Une chandelle, — gouailla Julot, — sans doute, une fameuse! Eh ben, mon vieux, t'auras tout vu!...

Gabrielle s'était assise bien droite près de lui, silencieuse... Il se tourna un peu vers la droite :

« Alors, la Bébelle, on en reprend? C'est d'accord?

Il tourna un robinet qui donna de la puissance aux phares, et après avoir mis en route au démarreur, ce qu'il évitait, il embraya, tête basse.

V

En cette soirée, M. Georges s'était surpassé, dépassé. Il en garda pour bien longtemps, pour le reste de ses jours, en somme, une manière de meurtrissure. Il n'avait jamais réussi qu'à la chasse, des choses pareilles, et uniquement *in anima vili*. Il venait de concevoir ce que peuvent être l'action et le maniement des hommes grâce à la ruse, à l'adresse, au mensonge... Il avait eu entre les mains les armes des gens décidés, et qui veulent et qui savent. Il en resta comme atteint, comme blessé par un effort surhumain qui laisse des traces; par la décharge d'un trop gros calibre; par un coup de foudre, qui, s'il ne vous tue pas, vous marque de sa griffe, d'un signe facial, d'un étonnement de paupière.

Était-il possible que LUI n'eût pas accepté sa disgrâce? Qu'il eût, pour une fois, violenté le destin? *Donné au destin la forme de sa volonté?*.... Ah, durant combien de promenades revint-il sur sa présence d'esprit, son audace... Sur sa chance, sur son effroi.....

o

Madame Olmer rentra de son séjour bi-mensuel, parfois plus fréquent encore, à Paris. Elle n'avait que huit ans de moins que son demi-frère, mais un régime strict, une nature différente, lui conservaient une vraie jeunesse. Grande dame, à coup sûr. Bien la fille du fameux Chapelle resté légendaire, l'homme qui faisait sourdre la richesse autour de lui, l'animateur de l'endroit où il se fixait, même temporairement. Ainsi le brasseur d'affaires avait-il fait naître, renaître, ce domaine de Boncourt qu'il tenait de famille et qu'il avait galvanisé, sorti du néant et de la ruine. Comme en Provence, il avait regroupé les champs de fleurs; comme, en Afrique, fondé une énorme société d'arachides, préludant à l'huile qui maintenant ruinait les oliveraies. Un peu plus loin, il avait encore commercialisé et rendu populaire une eau fort pure, qui se vendait en bouteille de deux litres et ne coûtait que le verre. Il avait même fondé des établissements en Indochine et en Malaisie. Son gendre, polytechnicien, et sa fille, s'étaient employés dans toutes ses réalisations. Madame Olmer, avant de perdre son mari, avait voyagé dans le monde entier et elle en gardait, des paquebots, des grands hôtels, une éducation bien autre que celle de M. Georges parmi ses rustres.

Elle rentrait, indifférente d'aspect; en fait, soucieuse de Jacques; un ex-filleul de guerre qu'elle avait adopté. Tout ce qui venait de Boncourt lui semblait bien mesquin, mais, faisait cependant le calme, le repos de sa vie, sa retraite.

o

Un gros souci avait agité M. Georges, à la dernière heure, comme toujours. Tous dînaient dans la chère cuisine, enfin retrouvée dans sa qualité; dès que Madame Olmer serait de retour, il faudrait reprendre la salle à manger, et laisser l'étrange musicien à la table des gens. M. Georges jugeait impossible d'introduire officiellement M. Maret auprès de sa sœur qui détestait toute contrainte, et de laquelle il avait une frousse croissante. Elle se fût nettement refusée à un commensal de fondation.

A la cuisine, cela passerait aisément. En fait, M. Georges verserait une petite somme, le proposerait, Madame Olmer dirait comme d'habitude : « Laisse donc : Profits et pertes : pas de soutailleries!... » D'ailleurs, M. Georges était toujours prêt à s'acquitter; personne de moins resquilleur. Il arrangerait la présence de l'artiste en la minimisant : il le présenterait comme un brave homme qui s'occuperait des chorales, une manière de sacristain mélomane. Madame Olmer (rendons-lui cette justice), voyait toujours grand. Elle avait autrefois parlé d'un orphéon aux usines. Mais laisser M. Samuel à l'office, M. Samuel tellement distingué!... L'admettrait-il?

— Ah, — lui répondit Gabrielle, avec sérénité, — vous troublez pas, Monsieur Georges... M. Maret est bien au-dessus de ces choses-là. Et il a vu

Madame Olmer descendre de voiture : ça lui a
suffi.

En fait, le musicien avait aussi entendu la
Patronne, dans le bureau de M. Georges, s'élever
avec force contre le nombre des pièces à signer
que son voyage avait accumulées, et fulminer
contre les complications d'une affaire si restreinte.
Qu'était Boncourt à côté des Huileries Africaines?
L'étrange bohème avait sa philosophie. Lui aussi
haïssait les obligations, et lui encore se montrait
sensible au charme de la cuisine douce, de la
grande cheminée, des arômes, aux attentions des
fillettes subjuguées. Il préférait la cuisine.

o

Dès le lendemain, M. Georges parla du nouvel
hôte, non sans quelque émoi, car il était, intellectuellement, pusillanime. Il le fit avec cette indifférence jouée qu'il savait nécessaire.

— Tiens, — lui dit-elle, — tu protèges les arts?
Ça devait venir... — Elle l'écoutait distraitement,
prise par des idées plus graves. Quelque pauvre
croque-notes que renflouait le brave Georges :
— On ne l'entend pas, d'ailleurs, ajouta-t-elle avec
complaisance.

— Non, Mary-Ann; il étudie dans le pavillon
de garde.

— De quoi joue-t-il?

— De tout...

— Ah... félicitations!... Cependant, — fit-elle
après réflexion, et au souvenir de sa vie exotique :

— en tout cas, je lui interdis le tam-tam. Ça me
rend malade....

o

En somme, tout se tassait; tout ce qui venait
de soulever de tels mouvements d'âme, de telles
explosions. La vie reprenait un cours facile avec
l'habitude, la continuité. M. Maret logeait dans
une chambre centrale, sous les combles, mais juste
au milieu du fronton, et qui s'en trouvait ainsi à
peine mansardée.

Il recevait quelques élèves, déjà, dans le pavillon
d'entrée et commençait d'être sollicité. Madame Olmer l'avait entendu à la grand'messe du village
et s'était montrée surprise de sa virtuosité :

— Il t'abandonnera, Georges; c'est un véritable artiste; un homme las qui vient se reposer à
la campagne pour l'été.

Gabrielle, qui avait entendu, en était restée
assombrie durant toute la semaine.

Madame Olmer n'avait pas demandé qu'on lui
présentât, cependant, le musicien. C'était une créature de son demi-frère. M. Georges avait jadis
hébergé, dans sa bonté profuse, un incomparable
dresseur de chiens resté veuf; un sourcier, d'ailleurs
plein de fluide, et, comme dernier en date, un inven-
teur, sans doute desservi par les circonstances.
Celui-ci avait entrepris de diriger les courants d'air,
de créer des courants d'air par la forme spécialement
étudiée d'une canalisation. Ainsi espérait-il ac-
tionner des turbines à même le sol. De ce Salomon
de Caux, il ne restait, dans la plaine, qu'une im-

mense bâtisse tubulaire, en planches venues de la
scierie du domaine; qui, en fait de courants d'air,
n'en produisait que pour vous enrhumer. Madame
Olmer trouvait son frère facilement ridicule mais
assez confortable, très humain...

Elle était droite mais flexible comme une cra-
vache. Ses cheveux d'argent coupés ras la cas-
quaient. Tailleur impeccable avec blouse de soie
claire. Elle portait un chemisier de satin blanc
cinq jours, sans une macule, sans une ombre.

Avec Jules, cela n'avait pas été si aisé. Ses faux
ménages avaient tous deux espéré une régularisa-
tion; leurs revendications créaient des remous.
Jules devait être monté par ses femmes qui le
traitaient, paraît-il, de noms désagréables, et, bien
qu'il fût une assez bonne pâte d'homme, il s'as-
sombrissait. Mais Gabrielle était bien trop fine
pour n'avoir pas su conserver sa qualité d'offensée
et de la froideur. Puis le chauffeur s'absentait de
plus en plus, pendant le séjour de Madame, et ses
heures ne concordaient pas avec celles du musicien
qui fort souvent déjeunait chez ses élèves. Une
politesse raffinée dans ses rapports avec Julot
mettait celui-ci en état d'infériorité : « Monsieur Renard... » Le grand menton en avant, la galoche,
pointait. D'ailleurs, M. Georges tenait ses promesses et renchérissait avec ces petits cadeaux
préférentiels, inattendus, qui ont tant de pouvoir sur les humbles.

Un instant, à la vérité, Jules crut avoir la partie belle — grâce au vin blanc...

o

Goût invétéré, vice, tare?... M. Maret aimait passionnément le vin blanc. Le vin blanc était comme le compagnon de sa vie, un frère d'armes, un ami que M. Maret ne lâchait jamais plus d'une heure de suite, sauf aux églises. Il ne dissimulait pas son attraction pour ce camarade de combat; au contraire même : « Un p'tit vin blanc? » cela revenait vite; la grande gueule vous modulait cela, comme les filles coquettes prononçaient jadis : « Gentil pruneau de Tours », pour se disposer les lèvres. C'était, chez lui, une bizarre oraison jaculatoire. En fait, il ne semblait vivre que pour retrouver son p'tit vin blanc, pour lui procurer un espacement savoureux... Gabrielle n'était pas sans en être fort soucieuse. Tout se résolvait par le vin blanc mais puisque cela n'entraînait jamais de mésaventure, elle en prenait son parti, souriant, et tâchant d'en faire une originalité amusante.

Julot affirmait, que, ce mecque-là, c'était une pièce d'Anjou, un fût de Montbazillac! Heureux qu'il préférât un léger vinage; sans cela, il en eût été toc-toc et depuis longtemps chez les fous. M. Georges n'osait point faire de remarque; cependant, il s'inquiétait aussi, tout en haussant indulgemment les épaules quand Gabrielle, de ses courses, ramenait quelques bouteilles jaunâtres... M. Maret les sifflait délibérément, joliment, avec des propos délicats, des gestes mesurés, mais sans les perdre de l'œil...

— Tu lui en rapporterais un quartaut, — di-

sait Jules, — qu'il leur ferait un sort; à la douce,
mais fermement.

— Il les paie, Jules, et il travaille tellement!
C'est bon pour sa voix....

Renard, trop tenté, voulut faire une expérience.
Il emmena M. Maret, un bon jour, chez un sien
cousin, bistrot avantageux mais loyal. Renard
eût désiré griser le musico, le ramener flapi, écrasé,
vomissant; le rendre à l'humilité populaire des
saoulots. Il crut même pouvoir fausser son jeû
en alcoolisant la piquette. Mais le cousin Alcide
refusa chevaleresquement : « Tu veux le juger,
Jules : alors rien que du Graves, du Pouilly, sans
plus. A la franche! »

Or, ce fut M. Maret qui réintégra le pauvre Jules,
avec des gentillesses et des égards de gentleman
anglais. Le cousin-troquet soutenait Jules de l'autre
bord. Au dîner que partagea le cousin quand Julot
fut bien bordé et qu'il ronflait dans son lit, Gabrielle
s'inquiétait un peu en trouvant son protégé un
brin absent et comme froissé. Avait-elle commis
quelque impair? Mais Alcide, en le voyant avancer
la main d'une manière distraite et savante —
c'était son genre, — vers la fiasque blonde, ne put
s'empêcher de donner libre cours à son admiration ɪ

— Bébelle, — fit-il en aparté, — comme bibe-
ron, il vaut sa musique! Sans même un brin de
fromage, il a cassé huit bordelaises; huit, avec
retour au soleil!....

Gabrielle en fut épouvantée, hors d'elle-même :
voilà quels pièges l'on tendait au gentilhomme
errant!...

— Le vin blanc contient moins de tannin que le rouge, — émit sentencieusement M. Georges, — mais c'est très mauvais pour les nerfs qui prennent le dessus.

— Le tout est de ne pas abuser, — répliqua négligemment le musico, en sollicitant la fiole d'un verre qui tremblait.

La grande indulgence qu'on apporte aux excès de bouteille, si profondément ressentie par leurs victimes, eut un effet inattendu. Jules déclara que l'homme qui avait eu pour lui tant d'attentions, tant de tact, était un frère, un « pote », un « régulier ». Il renonça. Ce fut une douce trêve, trop courte.

o

Madame Olmer devenait quelque peu nerveuse. Elle aimait Boncourt où elle avait été élevée, mais son pupille l'attirait trop souvent à Paris. Son caractère impérieux, dédaigneux de toute sensiblerie, du sentiment, même, n'arrivait pas à résorber une inquiétude secrète. M. Georges filait doux... Et cependant, parfois, il rencontrait son diable d'œil clair fixé sur lui avec un rien de gentil, de compatissant dans le regard. Parfois aussi des raideurs de gifles. Il avait admis que sa demi-sœur lui restât incompréhensible, aussi étrangère qu'une Chinoise, qu'une Laponne, qu'une Maorie; le rire bref, cinglant, qui soudain jaillissait d'elle, l'effrayait toujours, comme des éclats de silex, même quand il s'agissait de choses impersonnelles. Et puis, son ironie... Ah, l'ironie, quel péché!

— Qu'a donc Madame? — lui demandait Bébelle qui avait des antennes et fronçait ses beaux sourcils.

— Des lunes! — répondait M. Georges, affectant le dédain, la désinvolture : — le foie colonial...

Cependant le musicien semblait agréé. Madame Olmer l'avait rencontré nez à nez dans le corridor du deuxième où elle ne montait pas deux fois par an; elle lui avait adressé quelques mots courtois sur son talent. Il répondit en exprimant sa gratitude et l'attachement qu'il commençait de porter au pays, d'une manière telle qu'elle en restait frappée.

— Georges, tu es sûr que ce n'est pas Jean Orth, ton violonard.

— Qui, Jean Orth?

— L'archiduc d'Autriche, le Hasbourg défaillant... Le commandant de la *Margarita*... le yacht perdu?

— L'archiduc, la *Marguerite?* Peut-être bien... Il parle souvent marine. Bon. Jean Orth...

L'éclat de rire, encore...

VI

ALGRÉ son calme apparent, M. Georges se
défiait de plus en plus. Il avait beaucoup
souffert et restait attentif aux prodromes...
La trituration sentimentale par laquelle il venait
de passer l'avait pour un temps animé d'énergie
et d'esprit critique. Durant quelques semaines, lui,
si humble, il se prit au sérieux, mais il sentait tous
les inconvénients du sérieux, et celui, surtout,
d'être quelqu'un.

La grande crise éclata un Dimanche, après le
déjeuner. Un de ces déjeuners de grand aloi, où
tout est délicatesse et perfection. Cela venait de se
terminer par un café moulu à l'impalpable, passé
à la cuiller dans un filtre vieux de dix ans. Des
tasses de Chine coquilles d'œuf, du sucre de canne.
M. Georges, qui s'était prodigué à la grand'messe,
qui avait poussé un solo un peu brisé mais fort
senti, qui venait de déguster une sole à la normande,
une blanquette aux cèpes, un Praslin glacé, allait
savourer diverses liqueurs fortes en attendant
vêpres, M. Georges rayonnait d'une chaude éma-
nation.

Madame Olmer le regarda pensivement, hésita,
puis, d'une voix sans timbre :

— Georges, je crains de te faire beaucoup de peine...

— Oh, je t'en défie, Mary-Ann! Ah, non; celui qui me contristerait cet après-midi n'est point encore baptisé. *Primum, bene vivere!*

Son éducation première l'avait laissé bon latiniste, et il citait facilement.

Gabrielle vint chercher le plateau du café. Madame Olmer la considéra, l'admira, dans sa finesse, sa correction élégante, le soin, la grâce avec lesquels elle remettait sur l'argent les porcelaines sans prix... La félicita...

Puis secouant la tête, et comme gagnée par le latin de M. Georges, elle qui n'était pas sans lettres, murmura rêveusement :

— *Qualis artifex pereo!* — (quel artiste je fais périr!...)

— Qui veux-tu tuer? — demanda M. Georges, avec un rire de bedon.

Elle se redressa, lança son épieu :

— Gabrielle...... GABRIELLE!

— Hein?

— Oui, Gabrielle, — reprit Madame Olmer; — il va falloir nous en séparer...

o

Encore une fois, il perdit le sentiment du réel; cette énorme menace devenait incroyable, impossible, après les éloges, toujours brefs mais sentis, que sa sœur venait de faire. Il déposa son verre à liqueur et darda un coup d'œil... La Patronne ne riait pas et considérait les dessins du tapis. Elle lui fit peur; une peur physique, ce qui était rare chez lui.

« Oui, — poursuivit-elle, rêveusement, — et je la regretterai. Cette femme est l'ordre, la décence, l'économie... avec un goût de perfection qui permet de lui accorder confiance. Mais si j'ai fermé les yeux jusqu'alors, le scandale est aujourd'hui trop patent. Il est devenu insupportable, mon pauvre ami, et même moi, qui ne m'embarrasse guère, je ne puis faire l'aveugle!

o

Il avait pâli. A un certain ton, devenu rare entre eux depuis cinq à six ans, depuis que Madame Olmer le traitait avec un affectueux dédain (qu'il supportait, y trouvant finalement son compte), un certain accent le prévenait. Ceci n'était plus taquinerie, essai. Elle avait tout décidé. La Patronne venait de reprendre la voix du grand Chapelle le réalisateur. Cette autorité tranchante dont son fils avait tant souffert. M. Georges se taisait, bras croisés, debout, coupable...

« Je n'imagine rien, Georges : je sais... Les années dernières, cela s'assagissait; avec ton opération... S'effritait, se stabilisait, et tous, nous y trouvions notre compte. Sauf peut-être la morale. Mais, la morale, dans ce pays, elle a bon dos. Cependant, aujourd'hui, je suis au courant de ce qui s'est réalisé. Le repêchage, l'accord, l'accord final, l'accord tripartite, en employant un mot nouveau pour une chose nouvelle. Nous ne sommes plus, en effet, dans le banal, le convenu, l'admissible sur ce terroir d'indulgence réciproque. Le joyeux scandale que cela nous vaut affecte vraiment quelque chose auquel je me suis aperçue tenir : le bon renom de Boncourt. C'est ma maison d'enfance; j'y ai vu vivre ma mère... Mon père, tout redoutable qu'il fût, n'eût pas admis, dans ses murs, un tel compromis....

M. Georges leva la main, mais resta les yeux baissés sans souffler mot.

« Ne te frappe pas exagérément, mon pauvre ami. En somme, c'est une crise à passer et nous en avons tous deux supporté d'autres. Dans deux mois, trois, tu auras oublié... Je me serai donné, d'ailleurs, beaucoup de tintouin pour te retrouver une gouvernante de cette supériorité. Tu as déjà quelquefois oublié, Georges, alors que ton excellente nature, qui s'attache aisément, croyait tout perdu... Mon cher, nous allons opérer. Assieds-toi!

Il secoua la tête. Le ton de Madame Olmer se modifia. Moins d'âpreté :

« Mon bon Georges, comment pouvais-tu espérer que je ne serais pas tout de suite mise au courant, dans une contrée telle que celle-ci, contrée observatrice, spirituelle, un peu féroce, qui s'alimente de brocards, de ragots; qui en crée même pour sa joie personnelle? Ou alors, c'était me supposer bien facile... D'ailleurs, j'avoue, Georges, je plaide coupable; l'histoire ne m'a pas tiré des larmes, loin de là. Mais cela ne peut durer. Après quelques semaines d'euphorie, de poésie dévergondée, revenons au réel, mon bon; à la prose, mon ami, où je te ramène.

Elle parlait non pas comme une femme de chair, mais comme un personnage de comédie, comme un livre, comme un procureur! Hélas, toujours inhumaine, elle!

Madame Olmer s'arrêta.

Il s'assit, enfin :

— Justement, Mary-Ann; les langues sont telles dans ce pays qu'on ne doit pas y attacher d'importance. L'abondance des calomnies est d'une telle nature qu'elles se détruisent l'une l'autre. On raconte que Madame de Marcot a des bontés pour son garde. Tu n'y as pas cru une minute. On a raconté que le curé, dont tu sais la pureté farouche, l'abnégation, la sainteté, quoi, a fait un enfant à Solange Mathieu. On va jusqu'à dire, car, dévoré de foi, il s'enthousiasme parfois sur les missions, qu'il se rendrait aux colonies pour l'épouser, à Tombouctou... Tu sais, puisque tu la soutiens, que cette petite fait un stage d'infirmière à Rouen.

— Mais, cette fois.

Il trancha, net :

— Je ne veux dire que ceci : dans notre région, les propos sont si bas, que, *seraient-ils justifiés*, ils perdent toute créance.

— Les calomnies épaisses et brutales, Georges, oui. Mais les racontars gais... Mon pauvre Georges, le ridicule déshonore bien plus que l'infamie, chez nous....

Il se releva, marcha de long en large. Un tic nerveux lui faisait palpiter la narine.

— Convenons que je sois ridicule; je l'admets. Mais écoute, Mary-Ann, qui m'a rendu ridicule?

Qui m'a facilité ce ridicule de toute ma vie : VOUS, les Chapelle....

Il s'arrêta les bras croisés devant sa demi-sœur. En attitude énergique mais l'œil encore un peu flottant. Elle le regardait, amusée, intéressée. Lui ne la voyait qu'à peine, les yeux soudain portés sur les murs, les tableaux, mais redressé, quand même :

·   « Mary-Ann, il y aura près de vingt ans que nous vivons ensemble, et ce serait la première fois que nous oserions nous parler sans précaution. Une seule fois en vingt ans... Si je suis ridicule, je suis discret...

— Je t'aime mieux comme ça. Vas-y Georges!

Et elle alla donner un tour de clef, après avoir ouvert la porte de l'office et vérifié leur solitude.

Il reprit :

— Je suis le mouton noir de la famille. L'enfant naturel reconnu par le tout-puissant Chapelle, un jour que ça lui passa par la cervelle; j'avais huit ans. A la mort de ma mère. L'enfant bâtard, de mère inconnue et de Monsieur Réginald Chapelle, des Huileries et Caoutchoucs.

— Passons!... — fit-elle, avec hauteur.

— Ne passons rien, — répliqua-t-il : — Tout le monde sait que je suis bête. J'ai mes lenteurs. Je suis peuple. Je tiens de Maman. Enfin, un rameau irrégulier, ça ne se pouvait parmi de grands bourgeois comme vous. On me destina à la prêtrise. Avec une dispense du Pape, quelques billets de mille et des protections, un bâtard, un reconnu, peut faire un prêtre, et couic! étranglée, la dissidence... J'ai marché... Marché jusqu'à la classe de

philosophie, le moment où il faut sauter le pas.
La soutane me faisait peur et le cotillon — parlons simplement — ne me déplaisait point... C'était
peut-être un peu mieux que ça... Les femmes me
faisaient rêver, me troublaient. Je tiens aussi de
Papa, belle Mary-Ann! J'aimais Dieu, le culte,
les grands offices. Vous me reprochez, vous autres,
d'être toujours fourré dans les soutanes, mais je
l'ai portée six mois, la soutane!... J'étais pieux,
cependant pas assez pour consacrer ma vie entière
à la piété. Je voulais vivre.

« Alors, il y eut conseil de famille : tu n'en faisais
pas partie; tu avais onze ans, et tu étais déjà
tellement belle que tu m'intimidais à claquer des
dents. On décida qu'on me donnerait un métier,
une rente, et qu'on me marierait. Clerc de notaire,
Mary-Ann, quand la maison Chapelle possédait
la terre entière; la moitié de la terre, pour caser
ses héritiers; clerc de notaire à la Barre-en-Ouche;
1.200 habitants, et mon collègue... Passons, en effet,
cette fois! Passons pour arriver à l'abominable :
Vous m'avez... VOUS M'AVEZ COLLÉ UNE
FOLLE !...

— Georges!...

— J'arrivais pur, intact, au mariage. Brûlant
de désirs, c'est vrai, mais rempli aussi d'amour de
l'amour...

Il s'arrêta et avec une énergie qui le surclassait,
une violence qui l'ennoblissait, il cria :

« Et vous m'avez apparié à une folle!... Si!
Même toi, tu savais ses crises! On me l'a donnée
parce que personne n'en voulait après ses trois

séjours dans une maison de santé. Tu le savais;
tu avais alors seize ans. Elle était gentille, douce,
jolie, même. J'ai cru voir le Ciel ouvert. Le mariage,
loin de la guérir, l'acheva. Morte, il y a douze ans.
Toi qui sais tout, tu ne sais pas que j'ai été la
voir tous les mois, durant vingt-cinq ans... Le
mariage, chez moi, avait développé les tendances
Chapelle et le goût terrible de la femme... Et je
n'ai pas divorcé parce que j'étais chrétien, chrétien
quand même, toujours, quoi que j'en fisse.

— N'exagérons pas, Georges. La folie n'est pas
une cause de divorce.

— Tu oublies que j'ai été premier clerc... NON,
quand la folie se déclare après le mariage; SI,
quand elle a constitué une tromperie préalable sur
l'objet. Tous les Chapelle étaient au courant, mais
la famille dans laquelle ils me poussèrent avait de
l'honorabilité, quelque prestige, et reclassait un
peu l'enfant naturel. Je te le répète : divorcer et
se remarier c'était pour moi le pire des péchés;
celui contre l'esprit, qui ne se pardonne point.
Qu'étaient, à côté, les péchés de la chair? Je suis
sensible...

— Mais, mon ami, nous l'avons compris, et
comment! T'avons-nous jamais fait de reproches?
On fermait les yeux.

— Et moi qui les ouvrais, ces yeux, sur votre
dureté, votre cynisme, en ai-je fait, à mon tour?
Pas un mot. Quand libéré à cinquante et un ans,
j'aurais pu me reconstituer une vie normale, avez-
vous bien su m'y faire renoncer! Ça devenait ridicule. Ce qui avait été vingt-six ans pouvait bien

continuer jusqu'à ma mort. J'étais grotesque, annihilé. Bouffe ta rente et tiens-toi pénard! Et pas de gosses, hein, sur le rameau reconnu, sur le « gourmand »!....

— Mais il y a des liaisons, qui, dans ton cas, eussent été trouvées fort naturelles, souhaitables... Et non des passades.

— Péché pour péché, ne vaut-il pas mieux le péché honteux, qui se cache autant que possible? Et puis, belle Mary-Ann, moi, j'suis du peuple... Monsieur Chapelle m'a fait à l'improvisade, et m'a vu, combien de fois? Une dizaine... Maman m'a porté neuf mois dans l'angoisse et le désespoir; Maman m'a caressé huit ans... Je n'étais pas si sot, au début; elle m'aimait tant que j'ai appris à lire en cinq semaines, pour qu'elle fût fière de son poulot, de son malheureux poulot, qui, dès quatre ans, avait bien saisi le mépris général. Pauvre Maman!... Sais-tu seulement comme elle s'appelait, Maman?

Madame Olmer secoua la tête...

« Je ne te le dirai pas. Je serai sans doute le seul à le savoir, bientôt.

Il se reprit :

« Je n'étais à mon aise qu'avec les filles du peuple. Du côté Chapelle, me tenait l'attrait d'une certaine autorité... D'une vague suprématie qui désirait s'affirmer. Elles ne me trouvaient pas grotesque, elles; ni répugnant. Elles ont bon cœur, va! Et puis, comme tu dis, mon « excellente » nature s'attache; moi, j'aime *bien*, à défaut d'aimer tout court, paraît-il. Ces Messieurs-Dames, ne comprennent pas la chose : pour eux, les grands airs, les cavatines, la grande musique. Zim et boum! la passion. Ou les nobles formules : « Retournez, retournez chez votre Mère, Mâdâme. » Moi, j'suis peuple! Moi, je m'amuse à peu de frais; je fais l'amour à bon compte. La passion : côté paternel. La tendresse : côté maman. D'accord, je suis facilement burlesque avec mon ventre, ma figure ronde, ma timidité; je n'ai rien, ah, rien du dompteur, et je ne gobe pas les dompteuses. Y a un abîme entre nous. Vous, les aristos, toujours en veine d'autorité, de prestige; nous autres, les prolétaires de la société, nous engendrons à la bonne franquette... « Prolétaire » le mot vient de *prolès*, géniteur; ceux qui sont chargés de procréer la masse, et non de la décorer, comme vous... Ma pédanterie est à base de sacristain, je sais, mais je me serais réjoui, Bonsoir! d'être prolo; d'engendrer en travaillant, et après tout, en bon chrétien!

— Tu arriverais à être éloquent, Georges...

— Ah, sans le chercher! Il est vrai que depuis l'autre jour, j'ai fait de cuisants retours sur moi-même. Tu me feras l'honneur de croire que je ne me suis pas soumis sans tourments; d'ailleurs de très vieux tourments.....

— Tu restes révolté.

— Non, j'ai des révoltes, mais je ne suis pas un révolté. J'ai des accès de fièvre, mais qui s'espacent. Cinquante ans de réflexions, cela use; l'humiliation est une rude râpe, une sacrée lime! Je ne me révolte plus, en tout cas, contre vous. Cela que nous venons de sentir passer, c'est le bourbillon de l'abcès.

6

Je vous ai pardonnés, depuis longtemps. Cela
t'agace, mais mon pardon vous est acquis, et c'est
ma supériorité. Ne nous affolons pas d'ailleurs. Je
reprendrai ma mollesse très vite, car, je te l'assure,
vivre avec cette intensité, cela me détruirait en
trois mois.

— En effet; dangereux, Georges!...

— J'aurai encore des révoltes, mais contre moi;
contre ma sensualité inguérissable, ma gourman-
dise, mes avachissements, mes joies de crétin. Tu
t'y connais surtout en orgueil, toi, et jamais tu
ne pourrais descendre en esprit jusqu'au point
où vous écrabouille l'humilité. Mon humilité arrive
à tellement me réduire qu'elle m'absout. Je me
considère tout juste un peu plus qu'un chien. Que
fait au Seigneur, au Maître du Monde, au Créateur
glorieux des Paradis, l'âme d'un malheureux clebs
au cœur chaud, à la langue facilement sortie?...
A l'attache, d'ailleurs!. La publicain devait avoir
ma dégaine, un bon gros couperosé, qu'on mettait
en boîte, et qui riait niaisement quand il aurait dû
se fâcher...

— Et moi, la pharisienne, Georges?

— C'est toi qui le dis.

— Laisse-moi réfléchir une minute, Georges.
Tais-toi!

o

Il y eut un silence pénible que l'inaction domi-
nicale rendait encore plus dense. M. Georges se
laissait aller dans son fauteuil, fermant les yeux,
essoufflé, épuisé. Coup sur coup, il but deux verres.

Madame Olmer, toujours droite, fonctionnait.

— C'est une histoire singulière, — reprit-elle, pensivement, tandis qu'elle recevait un regard las de son frère encore prostré; — après tant d'années, la découverte!... Remarque bien que je percevais quelque chose comme cela, mais le pacte s'était conclu tacitement, et c'est un bien grand art que de sous-entendre. Cette vie m'était pénible, Georges, et l'irritation qui si souvent me prenait en rentrant ici, aux prises avec les mesquineries qui naissent de toute administration, tenait à cet inconscient malaise... Maintenant, c'est assez grave: cela dépasse de beaucoup les coucheries.

M. Georges eut un geste d'extrême lassitude...

« C'est grave, car *je ne puis plus l'ignorer*. Notre confort mutuel est détruit. Mutuel, tu entends bien? Aussi bien le mien que le tien. Nous allons vivre dans le sentiment de nos torts respectifs, réciproques. Nous serons dans une gêne difficilement supportable... A moins d'un changement radical et complet. Nous vivrions à visage découvert l'un pour l'autre...

Elle poursuivit :

« Ta diatribe m'a touchée; non pas en réactions désordonnées, mais intellectuellement plus que sentimentalement. Pour moi, Georges, tu ne seras plus JAMAIS le même. Tu t'es amplifié, grandi, certainement. Je n'aime pas beaucoup les victimes, mais je les plains, et je voudrais compenser leur disgrâce... Tu es resté extérieur à ma vie, c'est un fait; je t'offre d'en partager les éléments moraux aussi bien que matériels. La tienne aussi me serait ouverte. Joies, soucis en commun; amitié au lieu de relations.

— Je n'en ai aucune envie, Mary-Ann. Disons mieux, j'en ai une venette sans nom! Toi-même, Mary-Ann, tu serais abominablement déçue. Faut pas juger un homme dans une crise (il n'est plus *lui-même*), mais dans le lent décours de ses journées.... Je vois bien ce qui suivrait. Toi, chez toi, dans ton âme, tu peux recevoir sans trouble, ouvrir... tout est net et bien rangé, chez toi. Moi, j'aurais trop à faire. Que de sacrifices cela m'imposerait! Nos chambres nous révèlent. Toi, pas un bibelot sauf ton nécessaire d'or; moi, ma pouillerie. Non. Zut!

— Pourtant c'est la seule solution si nous devons vivre ensemble. Les plaies sont maintenant à vif. Ou il faut s'écarter, ou refaire le pansement.

— Je pense bien qu'il faudra nous séparer, Mary-Ann. J'en serai malheureux, car je vous suis attaché, à toi, à Boncourt. Cependant, au fond, au tréfonds, j'ai toujours pensé que cela finirait par une rupture.

— Ne nous empiffrons pas de grands mots, Georges. Réfléchis, et à mon tour, permets-moi de tout dire comme ça viendra, à la ... à la mauvaise franquette....

— Ah, Bonsoir! tu ne penses pas qu'on en a assez dit pour not' Dimanche?

— Quelques mots encore, qui me sont nécessaires, d'abord, pour me libérer d'un sentiment de culpabilité qui me gênerait, et, ensuite, afin de te fournir des données pratiques pour étayer défini-

tivement tes rancunes. Oui, dans ce que tu viens
de dire, entre beaucoup de vérité. J'accorde et je
reconnais notre maladresse plus que nos torts
volontaires. Seulement, puisque tu parles de Boncourt, tu n'as pas assez remarqué que nous avons,
avec lui, fait pour toi beaucoup plus qu'il n'était
formel... En fait, en réalité, nous n'avons gardé,
je n'ai gardé le domaine *que pour toi*. Du moins,
entendons-nous; je n'aurais jamais vendu le château, mais son exploitation directe, je ne l'ai
conservée *que pour toi!* La fromagerie, la scierie
adjacente, mon père s'y était amusé. Sa manie du
rendement ne lui permettait pas de laisser des
éléments improductifs. Ce fut aussi son dernier
jouet... une distraction coûteuse. Pour moi, il eût
été plus simple de liquider la scierie et de louer la
ferme. Seulement, nous avions senti qu'il serait
favorable de te donner une occupation, une res-
ponsabilité. Les Chapelle t'intégraient ainsi à leur
manière active. Tu reprenais de l'importance dans
le pays. Or, mon cher ami, tu ne t'y es jamais
prêté. Tu es resté absolument l'*amateur*. Par deux
fois, j'ai essayé de tout te mettre sur le dos; en
10 et pendant la guerre, où tu aurais remplacé des
gens bien utiles. Mais tu n'as pas marché.

— En 10, c'était au moment de la grande maladie
de ma femme. J'allais à l'asile tous les deux jours.
Pendant la guerre, c'était trop difficile, et le pli
était pris. Je sentais toujours la tare, le pis-aller.
J'avais ma réputation faite, et tu le sais...

— Je viens de voir, que, si la passion t'agite, tu
es capable de décision et d'énergie. Ce sera, en

effet, fatigant, les premières fois; mais l'énergie est comme la mémoire : plus on veut et mieux on veut; comme plus on apprend et mieux on retient.

M. Georges ne répondant pas, elle poursuivit : « Or, si tu t'en vas, Georges, je ne crois pas pouvoir continuer. Ce qui n'était qu'ennuyeux devient insupportable. Nous, les patrons, avions le sentiment que nous faisions du bien, en apportant une richesse aux uns et aux autres, et, en réalité, nous voyions juste. Mais les perversions sociales ont fait que notre effort personnel est négligé, méprisé, même, et que cette richesse doit appartenir à celui qui n'en est que l'élément négligeable — je maintiens — négligeable, Georges, puisque interchangeable. Mon père, ici, par son activité, a créé du bien-être pour plus de cinquante ménages. C'est un bienfaiteur; on nous traite en malfaiteurs!... Cela m'ennuie. Le domaine rapporte cent cinquante mille francs les bonnes années, et avec beaucoup de surveillance. Les Huileries, sur ma seule signature, deux millions. On vient de remettre la scierie sur le pied que tu sais. La fromagerie est plus molle. Ceci est matériel, et laissons... Mais nous exerçons une influence indéniable, et, surtout, cent vingt personnes nous doivent leur sécurité. Quand nous nous débattons dans les bilans, les sautes de cours, les échéances, la méchanceté des choses, cent vingt ouvriers passent à la caisse et n'ont d'autres soucis que de bien faire leur besogne quotidienne. Ah, le quotidien, quelle facilité!

— Je sais. Pour moi-même, tout est quotidien.

— Réfléchis, Georges!

— Je ne fais que ça! En somme, Mary-Ann, maintenant, et plus encore après notre explication, tu veux renvoyer les Renard. Tu y mets la condition d'une vie nouvelle. Tu es chez toi, sans que j'aie rien à dire, à y voir. Tu es la maîtresse. Je n'ai qu'un droit, celui de les suivre.

Il fut content de sa phrase; le psittacisme, la faculté du perroquet, le lieu commun, réjouit le cœur du pauvre. Elle ne le rata pas :

— Mauvais, Georges, la formule digne!... Pas entre nous, quand nous décortiquons la vérité. Additionne, sans plus. Tu es plus affectionné à Boncourt que tu ne le crois. Tu jouis ici d'une vie large, facile, que je ne rappelle que pour mémoire, car je sais que ces choses-là ne vont pas au fond de tes préférences, de tes directives intimes. Il existe en toi quelque chose de spécial, dont moi-même je ne suis pas capable, ni peut-être digne... Je ne sais pas... — fit-elle en soupirant.

Cette femme si supérieure n'était pas certaine de sa supériorité. Il fut ému, car il avait cru parfois — oh, bien rarement - percevoir un brin d'estime, de gaieté affectueuse sous les sarcasmes de sa demi-sœur; un point fixe, dans son chatoiement. Il la regarda avec tristesse...

« Tu renonces à tout, Georges, en partant; à la mairie, d'abord, où tu te complais, car, de toi-même, tu t'éloigneras suffisamment pour que ta présence à ma porte n'augmente pas encore le scandale...

— Bien sûr... — murmura-t-il.

— Sans domaine, tu renonces aussi à ta société de chasse. Du moins, plus de présidence, et tu aimais tant ces agapes, ces petits décomptes, ces primes à distribuer... Bien entendu, tu chasseras toujours sur Boncourt, mais ce ne sera pas pareil.

Elle l'exprima avec mélancolie. Les retours de chasse de son frère, c'était pittoresque...

— C'est vrai...

— Tu retombes au peuple, à plat, Georges, au moment où tu pouvais définitivement te reclasser. J'aurais fondé une « Société de Boncourt », et t'aurais fait nommer administrateur-délégué. Si tu fais des erreurs de début, nous sommes assez riches pour y parer. Il ne te reste donc rien du sang Chapelle?

— Si, Mary-Ann : le sentiment de ce qui me manque... Je te le répète, depuis cinquante-cinq ans, je vis en marge, je m'y vois, et je comprends qu'on m'y ait maintenu. Mon père n'a pas suffi pour faire un vrai bourgeois. D'ailleurs, ses exhortations, c'était succinct, tu sais... Le plus souvent, il venait à cheval, et, descendant en voltige, il me jetait : « Bonjour, crapaud »... Mary-Ann, je suis resté « le crapaud »...

Elle sursauta. Le « crapaud »! Bien plus que jadis, maintenant, le sexagénaire méritait l'épithète amicale. Gonflé, arrondi, un peu courbe, elle le vit ayant tout abandonné, et pensa à sa retraite mélancolique dans quelque trou, et à son filet de voix... L'idée lui en fut singulièrement douloureuse, si bien qu'elle l'entraîna à réagir contre lui. Elle rompit les chiens en déclarant :

— Rappelle-toi ton insouciance, Georges, ta versatilité. La tristesse te va mal et le drame encore moins.

— C'est vrai, — dit-il avec simplicité, — je suis un personnage comique.

VII

En fait, ni le frère ni la sœur ne s'étaient attendu à une pareille confrontation. Madame
Olmer s'en jugea atteinte, blessée, mais d'une
blessure honorable. Georges y gagna en estime,
sans faire fléchir la décision de sa demi-sœur. « Au
pis-aller », songeait-elle, » ce ne sera qu'une séparation temporaire, un nettoyage pour lequel j'aurai
affirmé une autorité nécessaire, une insistance méritoire. Boncourt ne peut devenir une maison du
péché; une « maison », en bref. Mon père mettait
toujours au moins cent kilomètres entre ses fan-
taisies et sa demeure familiale. Georges aura un
mois pour discuter avec lui-même. C'est enfantin.
Cette petite Gabrielle a du feu; son Maret l'emmè-
nera un jour ou l'autre, et Georges me reviendra,
rentrera à Boncourt. Veau gras! ».

En regagnant Paris et prête à monter en voiture,
elle attira son frère :

— Tu me donneras ta réponse à mon retour,
n'est-ce pas, Georges... Reçois gaiement tes chasseurs, et, crois-moi, repartons sur de nouveaux frais.

Il hocha la tête, et regarda pensivement l'auto

tourner autour de la grande pelouse. La situation
se prolongea. Madame Olmer resta plus de deux
mois sans revenir.

o

M. Georges avait perdu sa joie profuse. Il traver-
sait une phase dangereuse; tout ce qu'il avait sorti
lui revenait comme de mauvaises actions, et il s'en
épouvantait. Il hésitait, aussi, sachant bien qu'en
dernière analyse, il avait choisi. C'était le triste,
l'anémiant jeu du faible avec la décision; la délec-
tation morose dans l'avenir. Au fond, demeuraient
l'entêtement et la tendresse, tous deux entrelacés,
confondus, soudés.

L'été s'appesantissait. Le temps s'était mis à la
pluie, et les verdures s'alourdissaient, devenues
de métal foncé, de bronze vert. On avait trop chaud
et subitement froid, sous les averses.

Il s'asseyait de longues heures devant la cheminée de la cuisine, cette cheminée qu'il avait fait
maintenir et où ses chiens le rejoignaient. Pour lui,
pas de vraie campagne sans être vivant. Il suivait
des yeux la petite silhouette alerte et fine de la
gouvernante, ce petit trot de mule espagnole qui
l'entraînait toujours, sans hâte ni sursaut. Gabrielle commandait à ses deux soubrettes sans élever la voix, sans même la timbrer, comme si elle
était dominée par l'idée d'une paix silencieuse.
Tout se faisait vite et comme par enchantement...
De temps à autre, M. Georges était gratifié du doux
et profond regard, du regard chaleureux, un peu
maternel.

Gabrielle était inquiète, sans vouloir, par sa sollicitude, aggraver ce malaise dont on ne lui soufflait
mot. Elle avait craint une crise de jalousie, et restait sur une grande réserve à l'égard de M. Maret,
qui s'y prêtait, car le musicien semblait vouer, à
son tour, une affection ardente à M. Georges. Puis,
Gabrielle, pensant à une atteinte non encore déclarée de maladie, avait parlé du docteur; mais son
maître s'était dérobé en haussant mélancoliquement
les épaules.

○

Un soir, assez tard, où ils se trouvaient seuls —
il avait attendu le coucher des petites, Julot était
au dehors et le musicien avait annoncé qu'il ne
rentrerait pas (jamais il ne s'absentait sans moti-
ver) — il lui demanda ce qu'elle déciderait s'il quittait Boncourt.

Elle préparait depuis plusieurs jours le fameux
déjeuner des chasseurs et veillait.

En femme, elle admit d'abord le fait, la possibilité, et il souffrit quand il la vit interloquée à perdre
le souffle, hanchée sur un de ses petits talons. Il
reprit. Resterait-elle avec Madame Olmer, ou le
suivrait-elle dans sa nouvelle résidence?

— Y a eu quelque chose avec Madame?... Je
le pensais bien... Mais, c'est terrible!...

Les grands yeux s'affolaient.

— Mais non, mais non, Bébelle!... Mon départ
restait toujours une chose possible. Elle voudrait
peut-être installer ici M. Jacques, s'il se mariait...

Son ingéniosité subite l'étonna lui-même. Peut-être aurait-il, enfin, pu donner quelque chose...

— M. Jacques se marie?...

— Mais non, Gabrielle. Comprends donc : c'est pour savoir, uniquement.

— Si je resterais?... Si nous resterions?... Mais, pas une heure, pas dix minutes!... Le temps de mes paquets... Rester sans vous, ici? Le pavé me brûlerait les semelles. Depuis six ans! ... Madame Olmer *me vêlirait d'or* que je vous suivrais, si vous partiez. Madame Olmer n'a besoin de personne, pas même d'un chien!... Comment pouvez-vous même me demander une chose pareille? Vous en doutiez? ...oh!... Partons demain matin, si elle a été mauvaise pour vous.

— Tu sais (ou tu ne sais pas), ce n'est que ma demi-sœur, et d'une moitié pas très agréable; elle a droit....

— Je sais depuis toujours! — Ses yeux lançaient des éclairs étonnants; une petite furie, plus jolie encore dans son animation passionnée; — mais, c'est pas une raison. Tout le pays sait, et tout le pays est pour vous. Allez, c'est elle qu'on condamne! Votre père aurait voulu mieux pour vous que leur... leur manière. Partons. On n'aura plus besoin d'eux.

Mais elle s'arrêta encore sur un pied. Alarmée, le reprenant sous le feu de ses grands yeux, subitement inquiète. Partir? Qu'il abandonnât Boncourt, les honneurs, les habitudes, les amusements, la chasse?...

« Est-ce qu'elle vous a fait des misères?

Il était inondé de joie. La violence de cette réac-

tion, cette franchise le grisaient un peu. Il s'était
levé et se râclait la gorge :

— Rien n'est arrêté, Gabrielle, — finit-il par
émettre : — tout peut s'arranger encore, elle est
moins sévère qu'on ne le croit, que je ne le pensais.
Merci, Bébelle, merci!... Oui, si je pars, tu viens
avec moi. Je monte... suis claqué....

— Oui, montez. Je vous apporterai le vin de
canelle dans un quart. Le temps de saisir mes
cakes pour que tous les raisins ne tombent au fond.
Ils se finiront au four de campagne... Moi rester
ici, ah bien!.....

o

Pourtant, il s'était attaché à Boncourt, plus
physiquement qu'intellectuellement, en effet. Au
vrai, jamais il n'avait pu se sentir chez lui. Il avait
été chez son père; chez sa sœur. Parfois, lui si peu
sensible à la beauté, il percevait la lourdeur des
deux ailes qui élargissaient la façade, leur laideur,
et il se permettait de mépriser Boncourt... Il se
jugeait plus habitué qu'attaché, en somme. Comme
à un vieux vêtement d'intérieur. Ses meubles lui
étaient commodes, faits à son corps. On ne lui
donnerait rien. Il s'en irait avec ses objets de piété
et ses trois fusils.

Mais cela restait grave, à soixante-trois ans bientôt. Tellement changer de vie!... Dans le peuple,
on prétend qu'on en meurt sans pouvoir surmonter.

Cependant, peu à peu, quelque chose se dessi-
nait, prenait forme; quelque chose d'émouvant.
C'était rendre, en partant, un suprême hommage à

sa mère, que cette dénonciation du « traité Chapelle »... Il s'en retournait vers sa pauvre petite
maman dont personne, en effet, ne savait plus le
nom, personne que lui, que lui!... « Maman, je les
lâche, les Chapelle, afin de revenir tout à toi!
Ils t'ont fait bien du mal, et, en les suivant, j'en
prenais ma part. Et, tu vois, Maman, je les plaque,
je les fiche en l'air, les Chapelle; on ne sera plus que
nous deux, Maman »... Ça lui tirait des larmes qui
le faisait trompeter et barir. Pour arrêter la chose,
il esquissait quelques petits pas de polka, en chan-
tonnant, et dissiper son émotion.

Et, vaguant de droite et de gauche, il préparait
inconsciemment son départ, avec de confus pèlerinages aux lieux consacrés. Au pré où il avait
boulé son premier lièvre; au labour du premier
perdreau. Et puis, par exercice de courage, il
s'arrêtait quelquefois en face du château, juste à la
limite du champ, et il regardait Boncourt en pensant qu'il l'aurait, malgré tout, dédaigné...

VIII

Madame Olmer avait fui le grand déjeuner de chasse. En mettant la maison à la disposition des fusillots, elle estimait avoir assez fait pour le noble art... Ces réunions l'assommaient, l'exaspéraient. Trois heures à table; chansons bachiques, poèmes de circonstance, Georges et sa « Bruyère », et surtout, ah, condescendances! condescendance du sourire, de l'attitude...

Mais cela faisait plaisir à son frère, avait ennuyé son père qui pourtant s'y était plié. Enfin, elle y trouvait un réel avantage pour la maison. Tout sortir, tout astiquer, vaisselle, argenterie, en grand. Rien de tel que de pareilles réceptions pour remettre un intérieur en ordre.

Cette année-là, M. Georges manquait d'enthousiasme. Le menu ne fut qu'à peine discuté. Avant les Chapelle, c'était payant, par souscription, et leur générosité, qui hébergeait les chasseurs, avait fait beaucoup pour leur assurer la préséance. La célèbre carte de visite de M. Georges gagnait la campagne, les fermes et les manoirs. Pas de châteaux. La fameuse carte, sur laquelle il faudrait intervenir, et ajouter deux « anciens » de plus...

« C'est la dernière fois, » pensait-il, et ce fut avec cette meurtrissure généralisée qu'il reçut dans le vestibule de Boncourt. La salle à manger et le grand salon contenaient des tables en fer à cheval pour plus de soixante convives. M. Georges avait encore augmenté le nombre des invitations, et fait réimprimer des cartes de visite. Plus de cent invitations.

o

Il avait en face de lui son vice-président, un expert rural, maire comme lui, et, à sa droite, le curé Meslay, un fusil qui ne ratait point, une fourchette qui ne chômait pas, et une langue qui ne déguisait guère... M. Georges l'aimait beaucoup. Il embrassait du coup d'œil cette superbe chambrée, où seuls quelques adversaires politiques, sans virulence d'ailleurs, pouvaient être décomptés. Il les désarmait en leur fermant la bouche, succulemment, une fois encore.

Il écouta d'une oreille faussement attentive les discours tremblotants — ces braves, quelle venette pour prendre la parole, eux qui servaient les sangliers à l'épieu! Dans cet ordre, M. Georges possédait des facilités de débagoulage, vieux reste du séminaire, quoiqu'il s'en servît bien laïquement... Les chants épicés faisaient rigoler son prêtre. Lui-même y alla de son grand air, dont Madame Olmer se gaussait presque outrageusement :

Sur la bruyère matinale,
Allons, amis, dès l'aube triomphale...

7

Mais quand M. Maret, qu'on avait, bien sûr, invité en surnombre, envoya « Ma Normandie », M. Georges sentit encore les larmes lui piquer les yeux. C'était trop sot, enfin, car il ne songeait nullement à s'expatrier, à changer de province, mais Boncourt lui tint brusquement à cœur. Un vieil homme ne sait jamais tout ce qu'il garde dans son grenier...

o

Cependant, le devoir attendait, et il ne laisserait à personne le soin du palmarès. Dix sous par queue d'écureuil; vingt pour une patte de corbeau; cent sous par serre d'épervier; dix francs par queue de renard. La distribution fut abondante; on applaudit un jeune garde qui venait en tête avec trois cents francs de primes. Les dernières annonces se mélangèrent au brouhaha, aux causeries, à la fumée des pipes, aux discussions particulières.

Il y avait un additif : destruction des serpents; et tous prêtèrent l'oreille, par dégoût.

— Louis Mathiez, vingt-deux têtes de vipères : 110 francs.

— Bravo, bravo!

Mais une voix haute et ironique surgit de la porte ouverte sur le salon :

— Là-dedans, il y avait des couleuvres! La vipère n'est pas si fréquente....

M. Georges reconnut l'un des « ennemis », un nouveau venu :

— Monsieur Maugard, — répliqua-t-il avec courtoisie, — c'est moi-même qui ai vérifié les témoins...

— On peut se tromper, Président; ici, tout serpent, à part l'orvet, est appelé vipère; UN vipère, même. Chez vous, les gens aiment à faire du volume... Y a peu de vipères sur les plateaux, quand les couleuvres y regorgent. La vipère périrait noyée dans son trou par les eaux d'hiver sans écoulement. Seulement au bord des vallées, la vipère peut se retraire... Vous avez primé des couleuvres, mon Président.

Quelle querelle d'Allemand! Autant accuser M. Georges de prendre une patte de canard pour une griffe de buse... Le rouge lui monta au visage, mais tout le monde portait de la rubescence au front. Cependant, il se contint; il resta poli :

— La vipère et la couleuvre ne peuvent se confondre qu'au taillis, et sous le coup d'une émotion qu'un chasseur de mon âge ne connaît plus, Monsieur Maugard, — fit-il avec vaillance et bonhomie : — Que n'ai-je autant de gros billets que de vipères tuées...

— L'association serait plus riche encore, — intervint aimablement le curé Meslay pour mettre du liant.

M. Georges pensa « Quand je ne serai plus là, le banquet diminuera singulièrement vos ressources, mes bons amis. Alors, les primes... »

Mais il se reprit, possédant son sujet à fond :

— La vipère a la tête triangulaire et large à la base, quand la couleuvre se révèle par un crâne fuselé. La vipère est courte et se termine brusquement; la couleuvre possède la queue fine, comme interminable. La vipère-aspic porte cornes...

— J'en ai jamais vu dans ce pays-ci.

— J'en ai réglé trois.

— Alors, mon Président, c'étaient des mâles...

— Hein?...

— Sûrement, mon Président, car alors, c'étaient des c.c...

Il y eut un énorme éclat de rire. M. Georges sentit la colère le reprendre, mais il arriva encore à se maintenir :

— Allons, allons, Messieurs! restons de bonne compagnie...

— Rien n'est de compagnie meilleure, Président, et pas besoin d'être aspic, au fait, pour être... — il siffla deux notes.

Les rires reprirent.

M. Georges fit un effort désespéré :

— Monsieur Maugard, — fit-il plaisamment, — puisqu'ils sont si nombreux, vous allez, prenez garde, vous faire des ennemis, même parmi nous!...

Ce ton léger lui ramena les rieurs, mais le redoutable Maugard, pince sans rire et malin, reprit :

— Ils sont sûrement plus nombreux que les aspics, à Boncourt...

Un dernier effort :

— Au moins ont-ils de la chance, Monsieur Maugard, — et M. Georges se rassit, pénétré de douleur mais en maintenant le sourire bonasse. On applaudit et cela lui fit du bien. Cependant, le horsain, sentant qu'il avait été un peu fort, dévia le débat :

— J'ai plus sérieux à dire; — il s'adressait à

l'assistance; — je voudrais faire observer que nous apportons beaucoup trop d'importance à la destruction des bêtes de proie... C'est périmé et contraire aux vrais intérêts du gibier. Me donnez-vous la parole, Monsieur le Président?

— Vous l'avez prise, gardez-la donc; — put encore répondre M. Georges.

— Oui, la parole à Maugard, — appuyèrent quelques voix peu suivies.

— Nos destructions de carnassiers ne protègent que le gibier malsain, comme, nos hôpitaux, les enfants mal nés. Il faut qu'un lapin soit bien languissant pour tomber sous la dent du renard, et un lièvre, caduc, pour se faire croquer par un autour. La bête de proie assure, au contraire, l'élimination des faiblards. Le seul ennemi du gibier c'est le braconnier. Diminuons les primes à la destruction; augmentons les primes à l'arrestation.

Vérité neuve, et pas si sotte, après tout. D'ailleurs, maintenant... M. Georges parlait, parlait encore, mais avec un grand mouvement sanguin dans les oreilles, l'écho, la résonance de sa honte, de sa peine. Madame Olmer avait raison; l'année passée, on n'aurait jamais rien entendu de pareil concernant les bafoués conjugaux... Il y avait eu là une allusion directe.

Cela le renforça dans sa décision; elle lui parut soudain indispensable, et de plus, vengeresse. Il en reprit de la force. Après l'exposé de Maugard, il se leva encore, sous l'œil inquiet de son ami le curé, et, avec une parfaite bonne grâce, félicita l'adversaire de son ingéniosité. Peut-être cela

valait-il une modification des statuts... Cependant,
depuis si longtemps qu'ils fonctionnaient ainsi...
Il est vrai que tout vieillit et qu'il convient de
faire accueil aux idées originales et nouvelles. Les
associations chasseresses, dans cinq ans, élève-
raient peut-être des éperviers et des émouchets,
des renards et des putois, au lieu de faisandeaux
et de lièvres (« ironie! moi, employer l'ironie, mais
je les tiens »)... Oui, au lieu de faisanderies, des
renarderies...

Le président avait rattrapé tout son public. Le
curé lui souffla : « Bravo, M. Georges, vous l'avez
cloué »... Ah, le curé avait donc perçu l'attaque
directe... M. Georges lui sourit, apparemment à
l'aise et désinvolte. Maugard était enfoncé. C'est
alors que M. Georges se sentit envahir par d'extraordinaires et brusques délices : *celle du sacrifice à
effet.* Il reprit, remercia ses invités d'être venus si
nombreux. S'il avait tenu à réunir tant de monde
céans, c'était dans un dessein bien déterminé
dont il allait leur faire part. Exorde habile, qui
enlevait toute apparence de riposte, de rancune;
les invitations avaient été, en effet, anormales...

Et, dans le silence, il prononça :

— Je voulais vous remercier tous de votre bonne
volonté, et aussi, au plus grand nombre possible,
faire... MES ADIEUX... Je quitterai sans doute
bientôt Boncourt pour une véritable retraite, qui,
en m'éloignant, rendrait difficile et mes soins et ma
présence. Alors, chers amis, je crois de mon devoir
de résilier ces fonctions que vous m'aviez si affectueusement confiées, et rendues toujours faciles...

Ce fut une consternation. On n'en croyait pas
ses oreilles. Tous se regardaient. Plus un mot, plus
un geste, plus un tintement de fourchette ou de
verre. Maugard lui-même restait atterré. Il sentait qu'il avait torpillé son influence naissante. On
unirait toujours cette démission à ses plaisanteries
agressives. Et, au lieu d'une drôlerie, il venait,
dans l'esprit de ces gens courtois, de commettre
une impardonnable grossièreté. Le jour du départ
du Président!... Il y eut là une dizaine de secondes muettes et chargées de sentiment qui restèrent sans pareilles dans la mémoire du vaincu.
D'autant qu'elles furent suivies d'une explosion de
regrets, d'incitations, de refus. Tous accoururent
à la table centrale pour supplier, dénier... M. Georges
à demi étouffé, serrait des mains, souriait, frap-
pait sur des épaules : « Si c'est Maugard qui nous
vaut ça, on va lui casser la gueule, illico ». —
« Mais non, voyons, il y a six semaines que c'est
décidé ».

Que c'était bon d'être aimé malgré tout, quand
on aime; si on le ridiculisait, il parvenait cependant
dant à réunir des sympathies... Ah, terre d'indulgence!... Et il se sentait délivré de l'hésitation.
C'était fait, déclaré. Une paix profonde, fatale,
entrait en lui.

o

Dans leur désolation, les chasseurs n'acceptèrent
pas la démission de leur cher président. La réunion
qui suivit le repas vit la mise en quarantaine de
M. Maugard et l'apothéose de M. Georges. Ils se

refusèrent à élire qui que ce fût. Le vice-président
lui-même jurait comme un chat en colère à l'idée
de remplacer M. Chapelle; il n'acceptait qu'une
extension de pouvoirs, puisque le départ n'était
pas absolument fixé. M. Georges s'était discrètement retiré pour les laisser délibérer en toute franchise. Gabrielle l'avait rejoint dans son bureau et
le couvait de ses grands yeux tendres, lui tenant
la main, trop émue elle-même pour parler, et assise
sur un petit tabouret à ses pieds, mais en face de
lui. Elle ne s'en alla même pas, quand, cédant à la
grosse nourriture aussi bien qu'à la fatigue des
émotions, le bonhomme s'assoupit.

— Il dort, — souffla-t-elle, à l'envoyé qui frap-
pait à la porte pour faire part des décisions.

L'autre revint annoncer que M. Georges « re-
posait » et tous mirent une sourdine à leurs ta-
pettes. Quand, à quatre heures, M. Georges rouvrit
les yeux avec un peu d'angoisse, selon sa méchante
et nouvelle habitude, la petite esclave le regardait
encore et le prévint : « Ils attendent : ils ont expulsé
M. Maugard... »

Tout de suite, M. Georges retrouva sa paix, et
aussi sa sentimentalité publique.

IX

Madame Olmer raisonnait faux et commit une faute psychologique; elle crut que l'annonce du départ n'était qu'un ballon d'essai et cachait encore une indécision. Cela devenait tout à fait stupide. Elle décida d'agir sur Gabrielle, car, non, elle ne pouvait s'abaisser à solliciter le musicien! Elle se serait mise soudain sur un pied d'égalité avec ce bohème inconnu, et ne voulait pas l'admettre une seconde. Gabrielle était encore une vassale, et ce sens de la suzeraineté, Madame Olmer l'étendait fort loin.

« Curieux », pensait-elle en lissant ses beaux cheveux argentés, en retendant sa blouse de soie blanche, « et, au fond, amusant, ce jeu des passionnettes »...

Gabrielle parut, un peu pâlie mais souriante, avec quelque réticence qui lui conférait plus d'attrait encore. Elle était malgré tout profondément déchirée.

Madame Olmer, dans cette hauteur qu'elle possédait suprêmement, hauteur telle qu'elle n'en était plus insolente, entra tout de suite au cœur du sujet :

— Je pense, Gabrielle, que vous suivrez mon frère dans sa nouvelle résidence?

— Oui, Madame.

— Je vous regretterai. Et peut-être en ferez-vous autant, un jour. Boncourt avait des avantages, de sérieux et d'avenir... Il y a déjà bien des années que nous sommes les uns près des autres; entre nous, pas un seul dissentiment. Je me plais à rendre hommage à votre régularité, à votre qualité.

La petite s'inclina : ses yeux immenses...

La grande poursuivit :

— Monsieur Georges vous a-t-il communiqué les causes de son départ?

Gabrielle eut une hésitation; puis :

— Il m'a parlé très brièvement d'une *castille* qu'il aurait eue avec Madame; — Gabrielle quand elle était émue parlait plus populairement; — mais, — reprit-elle, — en ajoutant qu'il avait les premiers torts, Madame.

— Je n'en attendais pas moins de sa... de sa générosité. Mais, Gabrielle, vous a-t-il dit à quel propos cette explication? A propos de qui?

Gabrielle secoua la tête, alarmée : — Non...

— A propos de vous.

La jeune femme sursauta.

« Je puis difficilement supporter la situation générale telle qu'elle est devenue, Gabrielle. Je n'en dis pas plus long; nous savons toutes deux à quoi nous en tenir. Mais plutôt que de vous laisser partir, Monsieur Georges préfère vous emmener et s'en aller lui-même. Il ne veut pas non plus congé-

dier M'sieur Maret et se refuse absolument à intervenir. Donc, il s'en va, et c'est très grave pour lui.

Elle s'arrêta. La victime s'appuyait un peu sur
la table, s'y pliait, tremblante et blême.

« Je juge cela si grave pour lui, à son âge, avec
les nouvelles obligations qu'il contractera, avec les
anciennes facilités qu'il perdra, que j'ai décidé de
vous mettre en présence du fait, auquel vous pouvez
mettre un terme. Je ne puis rien obtenir de lui.

Madame Olmer se surprit à plaindre la jeune
femme. Gabrielle se remit un peu, se retint, les
deux mains par derrière, à la table, elle si jalouse
de la tenue :

— Il faudrait m'en aller... Oui?

— Ou vous séparer de M'sieur Maret, plus simplement.

— Simplement? — reprit la pauvre fille, à voix
basse...

— Oui, et la vie ancienne reprendrait, après
tout... Je ne me décide à vous parler ainsi qu'à la
dernière limite. Tout cela est si regrettable.

— Je préfère partir... — balbutia la jeune femme;
— je ne crois pas que Renard veuille m'accompagner. Il demandera le divorce. Peut-être qu'après le
divorce, Monsieur Maret m'épouserait.

Mais elle se reprit :

« Non... il est d'un milieu supérieur, et je ne
voudrais pas qu'il se liât. Je ne puis non plus
laisser M. Georges seul.

— Mais si vous vous en allez, mon frère ne
sera plus seul.

Gabrielle hocha la tête et eut un demi-sourire

d'une telle compassion, d'une telle amertume dé-
daigneuse, que Madame Olmer en prit quelque
respect. Plus doucement, la Patronne commenta :

« Mais, ma pauvre enfant, Monsieur Maret, c'est
l'aventure; l'aventure, et je ne dis pas encore
l'aventurier (nous en ignorons tout). A coup sûr,
cet homme a derrière lui un passé singulier et peu
recommandable; d'une condition relevée, aussi, certainement, mais pourquoi l'a-t-il à ce point abandonnée? Il vous délaissera, obligatoirement; comme
il a dû en délaisser tant d'autres. Il ne faut jamais
compter sur les musiciens. Rien ne détraque comme
la musique. Je déteste la musique, cette sensualité folle de l'instant...

Elle haussa ses droites épaules. D'où lui venait,
maintenant, ce besoin de moraliser?

« Allons, Gabrielle, acceptez courageusement la
purge! Prenez les devants. Avant l'arrivée de ce
musicien, vous viviez heureuse.

La purge!... La pauvre fille leva sur la Patronne
des yeux pathétiques, et murmura comme si le
plus profond d'elle-même s'exhalait :

— Je ne pourrais pas vivre, *après*...

Madame Olmer eut un geste d'impatience que la
gouvernante ne vit pas derrière ses paupières closes.
La Patronne n'était que trop revenue de ces sentiments et de leur charabia, si jamais elle les avait
connus. Le désir, l'amour, la tendresse, mots sans
valeur; mots démonétisés par l'inflation des innom-
brables cabotins de l'emphase; monnaie de papier,
monnaie de singe!... Elle en avait assez. Le grotesque est contagieux; s'en approcher vous conta-

mine. Cela dépassait le ridicule acceptable que
toutes ces palabres autour d'une gouvernante amoureuse, même gentillette comme celle-ci.

— N'en parlons plus!

o

Ce fut, baignée, de larmes, secouée de sanglots
des pieds à la tête, fondante de détresse, de gratitude et d'horreur que sa pauvre petite mule dorée
aborda M. Georges. Ah, Ah!... Que M. Georges
l'abandonnât! Que M. Georges l'exilât! Que
M. Georges la chassât comme une fille! Que
M. Georges n'eût plus jamais une pensée pour elle;
Gabrielle s'en irait finir dans quelque coin, toute
seule, s'il fallait, mais sans plus troubler personne;
sans, encore, imposer cette présence qui n'était
qu'une cause de querelles et de chagrins... Elle
n'en pouvait plus. Elle n'arrivait plus à s'exprimer,
elle n'arrivait même plus à pleurer : c'étaient des
spasmes affreux qui l'ébranlaient toute.

Chose particulière, M. Georges fut plus ennuyé
qu'ému...!

— Pardon, pardon!... — faisait-il, dans une
exaspération extrême, et malgré sa reconnaissance.

— Je ne veux pas que vous abandonniez toutes
vos attaches de famille pour moi. Pour moi... Je
ne l'accepterai pas!

— Mais pardon, pardon!... Assez, Bébelle, Bon
Dieu!...

La chose était décidée. On n'en finirait plus si,
chaque soir, on remettait tout en question...

« J'en ai plein le dos, de ma sœur! J'ai vécu cinq lustres sous sa pantoufle; que nos dernières années soient libres! Ne pleure plus, ne sanglote plus : c'est réglé depuis des semaines, Bébelle. Nous nous en irons tous les trois, tous les quatre, car j'emmène Madeleine. Ma sœur est étonnante; il est vrai que nous n'avons jamais parlé de Madeleine, mais, comment, elle qui sait tout, à qui rien n'échappe, comment a-t-elle réussi à toujours passer Madeleine sous silence? Cette petite ne peut rester chez sa nourrice, à quatorze ans. J'en ai assez de faire filer Madeleine dès que Mary-Ann reparaît. Ne pleure plus. La mère de Madeleine est une erreur regrettable, mais on la mettra au pas. Et aussi, j'aime Samuel, moi; j'ai bien le droit d'aimer Samuel, saperlipopette! Mouche-toi. Plus un mot de rouspétance. Je sais où aller. D'ailleurs, entends-tu, la dorée, si tu partais, moi, maintenant, je ne resterais pas. Rasibus, les Chapelle, Kapout! Bébelle, du beau temps!...

o

— Écoute Mary-Ann, fiche-nous la paix. Laisse-nous la paix, Bon Dieu! Ce qui est dit est dit; ce qui est fait est fait. Gabrielle a l'âme fendue et le cœur en compote; moi, ça me nuit. J'en peux plus, de toutes ces alternatives et de ces bougres d'explications. J'aime à ne parler que pour ne rien dire. Nous jouons à la diplomatie, aux déclarations sensationnelles. Je ne m'en sens plus du tout.

— Tant que tu ne m'avais pas prévenue officiellement, Georges, j'avais le droit de manœuvrer.

— Crotte pour les grandes manœuvres! Inutile de faire des « communications », tu connais tout par toi-même. D'ailleurs je n'ai rien à ajouter à notre épouvantable colloque du mois passé.

— Ce n'était pas épouvantable; c'était intéressant.

Il en resta bouche bée :

— J'ai craint d'en attraper une jaunisse. J'en ai rêvé trois nuits, et toi, tu en plaisantes?...

— Un beau débat, Georges; la revanche de l'enfant naturel; toute une littérature revivait. Enfin, c'est toi qui t'obstines à rompre. Dommage; nous n'eussions pas été les mêmes.

— Toi, toute pareille, et moi, inchangeable! Toi, autoritaire, cinglante, de glace. Moi, ...Mais je ne veux pas m'en souvenir. Je n'en ai pas le droit.

— Moi, Georges, j'en ai le devoir. Qu'est-ce que tu vas faire, loin d'ici?

Il eut un regard soupçonneux. Elle éclata de rire :

« Georges, mon ami, ne redoute rien de moi, au contraire. Me vois-tu te tirant dans les jambes?... dans tes bonnes courtes petites pattes? Pas le genre Chapelle... Ce que je t'en demandais, c'était — ah, je te le jurerais si les serments n'étaient par trop farce — pour t'aider, mon mignon, t'appuyer au besoin. Eh bien je te le jure, sur la tête de Gabrielle!...

— Allons, te voilà repartie. Je n'ai guère approché Olmer, mais, s'il t'aimait, il a dû en voir de vertes!...

— Mais, Georget, nous, nous *n'aimons pas*... Nous *apprécions*.

Cela le révolta. Il se rendait compte de la boutade, mais quelque chose l'avertissait que la répartie n'était pas seule en jeu, qu'il y avait, au fond, une vérité cruelle, dans cette affirmation-là. Il battit en retraite, mais ne résista pas à décocher la flèche du Parthe :

— Et toi, tu n'aimes pas Jacques? Non?

Elle redevint grave, sévère, même :

— Oh, oh, ceci est une autre paire de manches, mon cher demi-frère! Oh, nous abordons ici des régions de haute complexité. Une dérivation de l'instinct maternel, sans aucun doute, de l'instinct insatisfait; de la curiosité; un certain sens esthétique, car Jacques est extraordinairement beau. Bas les pattes, Georget! D'ailleurs, Jacques, je ne l'affectionne jamais autant qu'en son absence, où je le recompose.

. . . .

— Je crois qu'il est temps que je m'en aille, Mary-Ann.

— Tu es resté, mon cher, deux minutes de trop.

DEUXIÈME PARTIE

I

C'EST ainsi que les émigrants commencèrent de s'installer au « château de la Sardine », manière emphatique et ironique due à l'humour rural, cet humour inlassable des Normands, ce qui subsiste de leur ancienne crânerie. Une maison carrée, dans la construction de laquelle la vieille qui l'avait fait édifier s'était montrée d'une telle économie, d'une ladrerie telle, que ses maçons en claquaient du bec. Elle les nourrit de sardines plus que de fricandeaux. Le nom en resta. D'enduit clair, et de murs si minces qu'on put à peine y accrocher des persiennes, on aurait cru qu'ils étaient en feuilles de zinc. Un toit aplati pour demander moins de charpente et moins d'ardoises.

Cela se dressait à cinquante mètres de la route de Laigle; avait toujours été mal loué, à des paresseux ou à des sans-soin. Pas de jardin, pour ainsi dire, bien loin d'un parc, quand Boncourt arrondissait vingt-deux hectares de pelouses et de hêtres.

Ce strict cube blanchâtre était encore rendu plus falot par le maléfice d'une allée d'épicéas formidables; l'épicéa, le crime paysagiste de nos grands-parents, leur sinistre engouement! Arbre

massif, quelquefois utile pour donner du lointain,
mais laid, lourd et sale. Les branches ont l'air
enfoncées à coups de marteau et se dépenaillent
tout de suite, en barbes, en confusions desséchées.
D'un vert morne, boueux. Une allée, oui, mais de
cimetière; une rangée d'ifs serait moins funèbre,
avec leur belle couleur brutale. La maison apparaissait au bout des épicéas comme à l'extrémité
d'un défilé noir, d'un cañon. Une ombre humide
moisissait.

Cependant, en pénétrant dans la bicoque, on
éprouvait une surprise agréable. Le « château »
faisait très logeable, et, de ses fenêtres, l'impression lugubre ne persistait pas.

D'ailleurs, ils préparaient leur emménagement
avec une joie de gamins.

o

La situation présentait bien des avantages matériels. A quinze cents mètres d'une petite ville au
nom célèbre et pleine de ressources. Rien que la
côte à descendre, et sur une jolie vue, aussi déli-
cate qu'une vallée de primitif ombrien. Le bourg,
de toutes les routes qui s'enfonçaient sur lui, offrait
un précieux spectacle de vieilles pierres et de
vieilles tuiles, couronné par son château princier.
Les « courses » devenaient une promenade.

Or, Boncourt était à dix kilomètres des appro-
visionnements. Loin de favoriser la flânerie, cela
prenait la forme d'une expédition. Boncourt était
en plein bled, perdu dans ses bois grandioses et
sévères. M. Maret manierait un orgue véritable.

Aux environs, beaucoup de grosses fermes et des maisons riches. Il était radieux et Madame Renard rayonnante. Madeleine et M. Georges, seuls, ne s'épanouissaient pas.

Julot avait prié Madame Olmer de bien vouloir le garder, à la suite de réflexions profondes et de délicates combines. « Vous aurez toujours un pied à Boncourt avec moi », déclarait-il aux émigrants; et d'un. Aux autres, aux dames, Jules laissait miroiter une décision qui les comblerait fatalement, et c'était à qui lui ferait meilleure mine. A Madame Olmer, il avait assuré que ce lui était douloureux d'abandonner ses voitures (il était excellent mécanicien), et il avait joué du trouble, du désagrément qu'il éprouvait... Presque de son déshonneur. Mais de façon juste, sans romantisme, comme en s'en défendant; sans y mettre une sentimentalité qu'il devinait, avec sa ruse, indifférente à la Patronne. Après tout, il fallait bien un homme à Boncourt, et pour ce que Madame Olmer comptait y venir, maintenant!... Donc Jules eut ce qu'il désirait : toucher des deux mains. M. Georges continua ses subsides secrets, et, comme le chauffeur l'escomptait du côté Olmer, un homme solitaire est plus payé qu'un homme en ménage.

Jules ne fut pas sans apprécier l'installation nouvelle; l'installation vraiment bourgeoise. Ainsi que beaucoup de gens du peuple, l'aristocratie d'un vaste château le choquait sourdement. Ça, au moins, c'était « coquet ».

•

M. Georges, évidemment, au début, semblait
moins pénétré. Les ampleurs de Boncourt lui faisaient paraître sa maison future telle qu'une cage
à mouches. Le salon de Boncourt comportait six
fenêtres. Mais la joie de Bébelle à meubler sa
« salle », lui suffit bientôt. *Kersardine*, car un des
goujats bretons avait fait triompher son vocable,
était « intime », était « chauffable »; on n'habiterait
plus dans une « caserne », mais on logerait dans
un « pavillon ». Un « pavillon », rêve inavoué des
modestes parvenus! O délices des récureuses où
tout peut scintiller, refléter, faire neuf!

La chambre de Gabrielle était au premier, avec
une belle vue. Madeleine couchait au second, une
chambrette qu'on rendrait gentille. M. Maret, toujours en vigie, surveillait une lieue de vallée, avec
des élèves de chaque bord. La chambre de M. Georges toute regarnie de sa pieuse bimbeloterie, ouvrait
au Sud.

Le petit monde voisin fut accueillant et serviable.
Ils touchaient à un hameau pauvre mais pittoresque, avec de jolis chemins et des mares orfè-
vrées. L'on y trouvait facilement des aides, des
femmes de ménage. Le vrai nom de Kersardine,
c'était les Rochers. « Le château des Rochers ?
ça me rappelle quelque chose », murmura M. Maret,
et cela fit sourire M. Georges, en augmentant le
mystère des origines de son commensal...

Madame Olmer devait les étonner encore. Elle se montrait « très chic ». M. Georges en restait pantois :

— Puisque tu t'en vas réellement, mon cher, nous partagerons les meubles. A part quelques babioles et même quelques très belles pièces que je te prie de me laisser, choisis et emporte. Je m'arrangerai avec ce qui restera.

— Mais Boncourt est si grand; il a besoin de beaucoup de choses, Mary-Ann.

— Moins que tu ne le penses. Il est lambrissé, et assez bellement. Il n'aura jamais meilleure façon que vide. Laisse-moi quelques meubles de style et de quoi manger et coucher.

Bien entendu, M. Georges fut discret, un peu épouvanté d'ailleurs. Mais sa demi-sœur poussait à la reprise, avec un acharnement qu'il ne comprenait pas très bien et qu'il jugeait une lubie ironique de plus. Elle abandonna une énorme quantité de linge, amusée par l'avidité secrète de Gabrielle, qui, en vraie Normande, n'estimait une maison que par rapport à ses serviettes, draps et nappes. La petite femme disparaissait sous les piles blanches, prouvant en fait la force que dissimulaient sa sveltesse et ses jolis aplombs. Elle véhiculait cinquante kilos de linge calandré aussi aisément qu'une douzaine de torchons.

— Cependant, laisse-moi beaucoup de torchons, Georges; je déteste racheter ça.

La Patronne prenait un vif intérêt à revoir tout cela, grâce au partage, et elle admirait les étonnants ensembles damassés, les nappes pour vingt-quatre, le service à la *chasse à courre*, le service à la *mate-lote*, où toute la flotte de Suffren cinglait vers les Indes : « Laisse-moi le service de *Fontenoy*, Georges, et prend tout le reste.... Emportez, allez!... »

Et il y eut, à la suite des attributions qu'entraî-nait le départ, un renouveau d'amitié entre ces gens qui se séparaient.

o

Bien plus, au moment où Madame Olmer, fu-mant dans un porte-cigarette d'ambre long comme une badine, vit apparaître les écrins et caisses d'argenterie, dans leur moleskine, elle en prit des sentiments très voisins de ceux du transfuge, qui se traduisirent par une grimace assez cousine, si ce n'est fraternelle. A quoi bon, à leur âge, tout ce déménagement, cette brisure, si tard, après s'être, durant vingt-cinq ans, supportés? Ils n'avaient plus qu'eux, en somme! Le fameux Jacques n'aimait guère Boncourt, les neveux s'oc-cupaient de leurs « jobs » et appartenaient à la génération profanatrice. Ils furent tentés, lui, d'envoyer tout paître, et elle, de tout admettre. M. Georges se reprit le premier, dans une honte bleue de sa semi-défection, et attribuant à sa mollasserie, une pensée aussi attentatoire. Ce fut rapide, mais quand Madame Olmer ne retrou-vait plus bien ses griefs, M. Georges réintégrait sa tendresse, donc sa résolution.

Cela ne parut que par un « En réalité, si... » qu'elle entama rêveusement, en fermant un œil sous un retour de fumée; à quoi il sut répondre, avec une hâte fébrile : « Garde donc, garde donc tout, Mary-Ann... J'ai besoin d'une demi-douzaine pour mon service.

Elle comprit, mais gagna encore :

— Non, Georges : dans nos familles, c'est toujours le garçon qui reçoit l'argenterie.

Et pourtant, peut-être se sentit-elle cette fois bien vaincue. En tout cas, visiblement, elle en augmenta sa considération posthume. Elle donna une belle bague au fugitif.

o

Les armoires de Kersardine furent remontées par M. Maret à coups de mailloche et de menton. Nul n'ignore qu'une armoire normande, grande à loger une salle de bain parisienne, se résout en quelques planches chevillées. C'était moins difficile que de refaire un clavier. Les armoires de Kersardine se remplirent de linge; les murs se recouvrirent, positivement, de tableaux, de sous-verres et de casseroles. Il y eut même deux mille bouquins, puant l'humide, dont six cents sur la chasse et la pêche. La maison s'encombra à n'y pouvoir bouger. Julot, qui faisait les transports avec des camions de la laiterie, finit par en prendre une jalousie très nette : « M!... c'est rien cossu! » Tentures, portières, doubles rideaux, que Gabrielle, M. Maret, même Madeleine, trouvaient de haut goût.

— Tout cela te reviendra après moi, Gabrielle, — disait M. Georges, pensant, qu'après tout, ça représentait quelque argent.

— Jamais de la vie, la moitié sera pour Madeleine, Monsieur!

o

Or, à mesure qu'on le dépouillait, Boncourt reprenait grand air, avec ces quelques consoles au bas des hauts panneaux de lambris. Sa patronne en blouse anglaise, homespun de marque et souliers admirables, s'en arrêtait parfois, prenant sous son œil implacable l'enfilade des salons redevenus hautains et simples :

— Revenants-bons du cataclysme, — fit-elle souriante, à M. Georges qui s'inquiétait : — la vraie façon de meubler une demeure du XVIIIe, c'est de la démeubler.

— Tu ne vas pas te sentir trop seule, là-dedans, Mary-Ann, trop vidée?

— Non, sois-en sûr; je vais faire tout repeindre en mat vaguement crème, en retouchant les moulures dorées. Ce sera resplendissant et dédaigneux.

— Plutôt frisquet, saperlotte, et nu, crédié! Mary-Ann tu ne voudrais pas quelques-unes de mes grandes photos de Palestine?

Elle le regarda avec une vraie tendresse, cette fois, une expression de sympathie profonde qui émut le bonhomme. S'agissait des souvenirs de son seul grand voyage, un pèlerinage à Jérusalem, et aussi de son seul effort esthétique. Elle savait combien il y tenait. Un jour où une lampe à essence avait pris feu, menaçant de tout griller, M. Georges criait à tue-tête : « Sauvez mes vues!... Sauvez mes vues!!! » La collection était encadrée de noir à fourneau et d'or mercuriel.

— Non, mon vieux Georges, non!... Pas même une de tes photos. Pas de photos du tout, pas un portrait, pas une bobine humaine. Je donne tous les portraits aux Chapelle de Couronne. Les morts m'ennuient...

— Oh, Mary-Ann!...

— Personne n'est plus indiscret.

— Et tu vas rester là sans même un chat?

— J'irai *vous* voir de temps à autre. Quels déjeuners me collerez-vous, hein?

Elle disait *vous*. Trop tard, elle acceptait la familiarité des émigrants. Elle exigea qu'ils prissent le grand Erard à queue, encore excellent, surtout les basses. Mais il eût fallu s'asseoir dessus pour recevoir à Kersardine, ou bien le mettre dans le garage. Ils se rabattirent, à leur violent regret, sur un piano droit un peu mandoline et guitare hawaïenne...

— C'est rien, — proféra M. Maret, — j'en ferai un parfait instrument; un Pleyel droit a toujours sa valeur. Il n'y a qu'un refeutrage à faire; question de huit jours...

Effectivement.

o

Quand ils montèrent en voiture, elle les accompagna jusqu'au perron. M. Georges cachait une mine furibonde, avec un groin étonnant. Gabrielle scintillait de larmes. M. Maret faisait fonctionner à grande vitesse son maxillaire à ressort... L'automne s'embrasait délicatement.

Madame Olmer accola M. Georges, tendit la main aux deux autres. Et M. Maret, talons joints, baisa cette belle main rutilante d'émeraudes... M. Georges en fut si épaté qu'il en oublia son émotion; le baise-main consterna Gabrielle...

Ils embarquaient sur la vieille voiture personnelle de M. Georges, une voiture de marque mais ancienne. M. Georges, casquette d'amiral en tête et l'écharpe d'Iris autour du cou, commandait à bord. Il sollicita le démarreur, et le moteur se mit en marche. C'était de bon augure, car cela ne réussissait pas à tous les coups.

— Allons, roulez! — commanda Madame Olmer... — Allez, heureuses gens!...

Et elle resta sur le perron, devant la grande maison dépouillée, dont toutes les fenêtres flamboyaient.

— Elle pleure, sûrement, — marmonnait M. Georges, qui laissait couler des larmes grosses comme des pilules laxatives... — Elle pleure!...

La voiture, surchargée encore, bossait de partout. La petite silhouette féminine à l'avant laissait flotter un voile ridicule, d'avant-guerre. M. Georges, la casquette sur la nuque se cramponnait au volant. Les chiens passaient le museau. Madame Olmer rentra pour rire à son aise, sans affecter Berthe et Margot changées en fontaine, ni Julot, patibulaire.

o

Evidemment, toute décision forte, tout grand changement affecte l'être, et nos émigrants n'échap-

paient pas au choc, eux qui étaient « nature »;
mais on passait prendre Madeleine, et celle qui
l'avait élevée aux frais de M. Georges, tenait
préparée une « collation » importante. Madeleine
semblait si éperdument sensible (peut-être heureuse) que cela ragaillardissait. Ils pansèrent
leurs ecchymoses intimes, et le vin blanc aidant,
après une heure bien remplie et bien abreuvée, ils
n'étaient plus les mêmes.

Tout le monde chantait dans la bagnole.
M. Georges, les coudes en ailes de pigeon sur le
volant, marquait la mesure avec l'accélérateur ce
qui conférait une allure singulière à la voiture
grenat. M. Maret se déchaînait, faisait des équi-
libres à l'arrière. Ils décidèrent soudain d'aller
faire des visites d'adieu : « Non pas d'adieu, mais
de départ », rectifia M. Georges, et ils furent reçus
à bras ouverts; tout le monde les félicitait. Ils
allongèrent encore; si bien que les vingt-cinq kilomètres de Boncourt à Kersardine en devinrent près
de cent et qu'ils n'y parvinrent qu'au crépuscule.
Ils saluaient les passants, et on leur répondait joyeusement. Ils chantaient encore en montant l'escalier de la maison nouvelle, du « bun-
galow » disait M. Maret.

II

ILS prirent leurs habitudes, et ce fut savoureux. Tous jouissaient d'une détente imprévisible, d'une liberté nouvelle, d'une aisance élargie. Plus d'inquiétude, de surveillance de soi ni des autres; finies, les précautions... La vie devenait facile. L'automne les favorisa, admirable, sans un nuage; à peine cette brume, qui, matinale, bleuit les lointains et ajoute au paysage la douceur d'une rêverie. Le traintrain se réalisait. M. Georges avait obtenu une surveillance de bois d'un grand seigneur voisin, et secondait son régisseur qui vieillissait. Il possédait une indéniable compétence rurale, due à ses origines et à sa vie paysanne, compétence dont il se servait bien, surtout pour les affaires des autres, comme les gens qui ont beaucoup raté. Il prit un rôle d'arbitre; il réussissait admirablement les compromis paysans.

D'ailleurs, ils s'étaient installés à un moment où les indigènes sont aux prises avec les labours et les pommes; en Pays d'Ouche, les labours sont scabreux, demandent une précipitation presque douloureuse; il faut les terminer avant les pluies ou ils deviennent impraticables. On n'avait guère le temps de s'occuper des arrivants. Puis, ils jouis-

saient d'une faveur initiale. Les gens des Rochers
et des villages voisins préféraient voir Kersardine
habité; l'abandon les attriste et ils y voient une
marque de dédain, d'éloignement, Kersardine
reprenait vie. Tant mieux!

D'autant qu'on accordait toujours, aux nouveaux venus, la même considération. Personne
n'était au courant de la rupture, de sa cruauté.
M. Georges retournait quelquefois à Boncourt,
peut-être mû par une certaine nostalgie, quand,
pensait-il, il voulait, par contraste, mieux goûter
son bonheur et sa liberté, sa délivrance. Madame Olmer était partie pour un très long voyage, dans
l'intention de faire participer son fils adoptif à
l'activité des Huileries Chapelle. Il arrivait quelques
cartes d'elle, avec des vues de palmiers et des
rizières, sans autre mot qu'un paraphe. En fait, elle
n'écrivait jamais. Les chasseurs avaient obtenu
que M. Georges reprît sa démission. Madame Olmer
tenait à ce qu'il chassât sur Boncourt. L'existence
était bonne... et, en somme, si ce n'est pour les
autres, au moins pour lui, beaucoup plus digne. Il
fit une belle saison de chasse. Cet homme lent,
hésitant, dès qu'il avait le fusil au poing, devenait
rapide et décidé. Mais ses yeux lui donnaient du
souci; la presbytie s'accentuait, et il tirait un peu
moins bien : « Voici lunettes, adieu fillettes. »

o

A Boncourt, la petite Madeleine n'avait pas eu
droit d'existence. On la renvoyait dès les retours de
Madame Olmer. Elle repartait chez une femme qui

l'avait nourrie, autrefois, brave cœur sans fiel,
qui, nantie de six enfants, n'avait de vrai sentiment que pour sa pensionnaire. Les autres gosses
étaient aux ordres de Madeleine, qui, douce et
tendre, n'en abusait pas mais aurait pu les réduire
en esclavage. Tous l'appelaient : « Mademoiselle
Madeleine », et la fillette, dans ses séjours à Boncourt, passait d'un extrême à l'autre, puisqu'on l'y
dissimulait.

A Kersardine, peu à peu, elle prit une place de
premier plan.

Ç'avait été une très belle petite, de carnation et
de chair vigoureuses. A douze ans, elle s'était
allongée, affinée, sans perdre de son éclat. Elle
était mise avec une coquetterie qui exagérait
encore sa jeune force. Coquetterie presque provo-
cante, dont elle n'était pas sans souffrir en silence.
On la voyait ramener, presque nerveusement, sa
jupe trop courte sur ses beaux genoux nus. Parfois, elle s'enveloppait de ses bras clos, comme les
Vénus Pudicae. Gabrielle le devinait. M. Georges
s'en rendait-il compte? Ainsi, elle ne lui déplaisait
pas; le vieil amateur de jardins féminins, inconsciemment, sans doute, jouissait de la belle plante.
Gabrielle, si elle s'en souciait peut-être, n'intervenait pas, car, il y avait la mère.

Ah, celle-ci... Une grosse femme, jadis belle,
mais devenue encombrante. Elle vivait d'une retraite et de subsides incertains, dans la cité ouvrière de la scierie. Madeleine semblait s'insurger
— mais, sans violence — contre le désir général
qu'on avait de la tenir à l'écart. En fait, la mère

Ray, « Mââme Ray », était un peu insupportable. Elle aimait les grandes effusions déclamatoires. Elle embrassait son enfant comme si chaque départ était le dernier, et chaque rencontre, la seule depuis dix ans. Elle entamait, avec elle, un registre plaintif et modulé qui tapait sur les nerfs, même des chiens. Des yeux blancs, des têtes secouées... M. Georges se montrait aimable, avec une certaine réserve, mais dans sa bonhomie, cela suffisait pour paraître une froideur.

— On dirait que Bon-Papa en veut à Maman?

— Mais non, mais non, — répliquait Gabrielle, — tu vois bien qu'il l'invite. Bon-Papa a des soucis...

« Mââme Ray » avait été la première, en effet, à profiter de l'hospitalité Kersardine. On jugea qu'elle y détonnait. Elle accablait de louanges M. Maret, parlait de son « génie », et, littéralement, s'écrasait à son approche. Elle eût traité d'assez haut Bébelle, mais s'aplatissait, sans y parvenir, se rendant compte de sa qualité et de sa puissance. M. Georges recevait un accueil savamment dosé, amertume et souffrance. Ariane.

Mais l'arrivée de Julot fit scandale. C'était un homme à succès, et l'on s'aperçut qu'il en mijotait un autre. La bonne grosse mère en peignoir mauve s'épanouit soudain. « Monsieur Jules » par-ci, « Monsieur Jules » par-là, à quoi répondaient des « Mââme Louise », où se mêlaient des « Mââme Renard » et des « Monsieur Chapelle ». Une consommation écœurante de noms propres. Souvent, ce qui restait de bonne compagnie chez Monsieur

Georges, reparaissait, et, se secouant comme un chien mouillé, il s'en allait faire un tour. Mais si, abandonnant tout avec des désinvoltures faussement enfantines, « Mââme Ray » parlait de l'accompagner, alors il rentrait immédiatement. Et cependant, cette invitée gênante possédait des qualités indéniables, une générosité de cœur auxquelles tous les ouvriers recouraient : garde-malade bénévole, elle veillait une nuit sur quatre, pansait, piquait, ayant été jadis infirmière; on lui confiait les gosses, les vieilles mamans. Sa maison s'ouvrait à toute demande. Sa position, plus qu'elle-même, dérangeait. C'était une excellente femme embêtante.

Gabrielle, pensive, était au-dessus de tout éloge; elle affectait une rondeur qui brassait tous ces éléments disparates et rendait tolérables les instants pénibles.

Jules avait « ferré »... Parfois, il en riait tout seul, et parfois il mettait une certaine ostentation à ses avances. Il suivait M. Georges d'un regard content, malin, méchant...

o

M. Maret étendait ses leçons, et l'on parlait de lui pour une place fort importante au chef-lieu. Il avait acheté une bicyclette et roulait tout le jour, quelquefois en pyjama clair, ce qui étonnait un peu. Gabrielle descendait chaque après-midi à la bourgade avec une petite poussette aux roues caoutchoutées, et sa grâce désarmait la curiosité, l'excitation, des fournisseurs : « Comme tout le

monde est gentil pour nous », — disait-elle, avec
effusion à M. Georges que cela flattait doucement.

Ils méritaient bien qu'on les aimât. La voiture
servait beaucoup plus aux nécessités générales qu'à
leur agrément. Tout le monde s'adressait à eux.
M. Georges véhiculait, transportait, « portait » des
malades aux hôpitaux, chez le spécialiste, s'ingé-
niait. S'il avait renoncé à la mairie de Boncourt, sa
longue habitude des complications officielles lui
servait pour donner des conseils utiles; sa finesse
native, sa petite ruse s'employaient habilement;
sa science de la chicane lui valait des réussites.
Il eût pu ouvrir un cabinet d'affaires; il le sentait,
et y songeait sérieusement.

Ils étaient d'une bonhomie, qui, parce qu'on
les supposait « bien dans leurs affaires », charmait
le populo. Ils faisaient en groupe, le dimanche,
des balades à pied, parfois en chantant, à six :
Julot passait le « vikend ». Ils allaient de fermes en
fermes, bien accueillis. Jamais, cependant, par haute
discrétion, M. Georges ne se permit des visites de
châteaux. S'il venait prendre des nouvelles d'un
malade de qualité, il n'entrait pas et s'informait
courtoisement à la porte.

o

Mââme Ray possédait un talent indiscutable, et
le mieux à Kersardine était de l'employer; elle
était habile couturière. Dès qu'elle avait devant
elle un bout de « tissu », elle confectionnait en se
jouant, avec une vitesse incroyable, et du style.
Alors, modifiée, grave, des épingles plein la bouche

et une sévérité implacable. C'est elle qui habillait
si court sa belle enfant, envoyant promener toute
observation à cet égard :

— On ne va pas la nipper comme une sacristine,
quand même! Allons, Madeleine, faut savoir « porter la fesse ». Madeleine lui adressait un regard
de brebis trompée... Et cependant, Madeleine l'aimait à coup sûr; dans son inquiétude, cette brave
femme restait son seul point fixe, sa certitude...
Impossible de la reléguer; la petite en eût vraiment souffert. La petite...

On aurait voulu faire de Madeleine le type même
de la jeune fille accomplie. Elle était déjà pieuse,
et l'on développait encore cette tendance à la dévo-
tion. Elle fréquentait l'école chrétienne; ne manquait ni un office ni un sermon. Le doyen était
chargé de pousser son instruction théologique.
M. Georges avait entrepris de lui donner des rudi-
ments de latin, mais se décourageait car l'enfant
ne semblait douée que pour la musique.

Jamais un mot libre devant elle, et Julot avait
été mis au pas tout de suite, devant la mère Ray
pour qu'elle en prît sa part. Quant à M. Maret, on
pouvait lui faire confiance; subjugué par sa situation nouvelle, il semblait avoir tout à fait oublié ses
anciennes pitreries. D'ailleurs, c'était un esprit
passionné, donc honorable, sans rien de ce côté
libidineux, qui, maintenant, dérangeait M. Georges.
On allait chercher Madeleine à mi-côte, pour éviter
les fréquentations et les reconduites. Bébelle lui
acheta un « trois-quarts » de confection — ce qui
fit crier la couturière maternelle — uniquement

pour recouvrir un peu cette fillette si pieuse qui
exhibait des robes d'attentat.

On eût vraiment dit que ces complices, en
somme assez dégagés des principes courants, mettaient leur point d'honneur à faire de l'enfant dont
ils avaient pris la charge, une créature d'élection,
et de haute pureté. Une éducation aux *Oiseaux*
ou au *Sacré Cœur* n'aurait pas été plus surveillée.
On s'occupait de ses prières plus encore que de
ses gammes et de ses leçons. Peut-être qu'il y
avait, au fond, un sentiment très élevé de compensation, de rachat. Cependant, ce fut par la petite
Madeleine que commença le scandale, grâce à
une imprudence de M. Georges.

o

Un dimanche de fin Octobre, vraiment glorieux,
comme ce pays en présente parfois en automne,
et qui font tout oublier de la menace hivernale,
M. Georges se réveilla plus tôt que d'habitude, et
erra dans sa chambre gonflée d'ustensiles ecclésiastiques. Il refit ses pèlerinages, ses errances dévotes.
Rien ne restait que cela sur les murs. On aurait pu
croire que le bon homme n'eût connu d'autres
émois, d'autres occupations... Sa jeunesse n'était
jalonnée que par des lieux saints. Sa jeunesse...
En somme, il se défendait; bon pied, si ce n'est
bon œil. Il ne grossissait plus.

Il s'examina dans la glace, pris par ce sentiment
qu'il tenait de son éducation, et qui s'attachait
cruellement à la fuite des jours, à la mort. Par
quels signes pathologiques se révèlerait sa dernière

maladie? Artério-sclérose? ça, les veines des tempes l'indiquaient depuis longtemps. Fatigue du cœur; les paupières inférieures bouffies. Le cancer, terreur inavouée, comment se marquerait-il? Un certain jaunissement, un décharnement du visage contrastant avec la prolifération des cellules secrètes... Mais, soudain, il fut emballé par une idée gamine, retiré de son noir par la beauté du jour sur les prés, et il décida de se rajeunir nettement, de faire tomber son collier de poils grisonnants. A l'âge où les Turcs laissent pousser leur barbe pour acquérir de la majesté, M. Georges la condamnait afin de retrouver de la fraîcheur. Et quelle bonne blague leur faire, en bas!

Il descendit, car, maintenant, on simplifiait les petits déjeuners en se réunissant pour les prendre. Tous l'attendaient pour commencer. Exclamations, éclats de rire, auxquels il se joignit de bon cœur. Madame Ray, qui partait le soir, lui fit de grands compliments. M. Maret lui assura que cela lui donnait dix ans de moins. Madeleine s'étonnait. Seule Gabrielle ne semblait pas si enthousiaste. Plusieurs fois, il surprit son regard attaché sur lui, sur ses traits nouveaux.

Elle avait deviné ce qui allait venir.

En effet, quand M. Georges parut à la grand' messe, dans sa juvénilité nouvelle, mais sa dignité amoindrie, les yeux s'arrondirent. Il n'y eut qu'un cri silencieux, qu'une constatation unanime et muette, mais qui ne le resta pas, le seuil de l'église franchi : « Ce qu'il ressemble à Madeleine!... C'est Madeleine, crachée!! »

III

La liquidation de la fromagerie de Boncourt fit aussi sensation. Tout le pays en parla, s'en inquiéta, s'en *indigna*. Il y eut, brusquement, une attention exacerbée autour des acteurs du drame, de la tragédie. On ne pouvait l'imaginer; les gens simples ont toujours tendance à croire en la continuité, et cette décision parut inouïe. M. Georges dut subir de véritables assauts de curiosité et d'exhortations. Les uns, par la tangente et la bande; les autres directs, et réellement désagréables. Ses amis ecclésiastiques, habiles à sonder, à découvrir, n'y furent pas les derniers. Il eut beau dire que Madame Olmer avait pris sa décision de son propre chef et qu'il n'y pouvait rien, une sensibilité plus fine jugeait qu'il y était pour beaucoup. On entourait même Gabrielle, M. Maret et Julot. Celui-ci, mécontent d'être privé de la laiterie qui lui valait des heures supplémentaires, parla un peu trop, et le pays s'excita sur la retraite de M. Georges et sur ses effets désastreux... Madame Olmer, toujours demeurée lointaine, fut laissée en dehors du fait-divers et tout retomba sur M. Georges, qui en perdit beaucoup de sa cote d'amour. Ce fut lui

qu'on éplucha. Sa sœur avait peut-être agi avec
trop de sévérité, assurait-on, dans ce pays où tout
est facile, mais après tout, le petit coquin poussait
trop loin la licence... Une licence qui devint la
joie des foyers hivernaux, avec la couleur d'indignation hypocrite qui convient. En été, on eût été
plus indulgent.

Après la vente des bestiaux, du cheptel, la
contrée s'émut vraiment. Le notaire de la bourgade
le prit comme un malheur personnel, et trois fois
de suite, il vint agiter M. Georges.

— C'est fini, — répondait l'ex-administrateur, —
je ne veux plus en entendre parler. Adressez-vous
à ma sœur. Vous verrez!

Mais on clabaudait. Il y eut deux clans; l'un qui
critiquait violemment; l'autre, et non le meilleur,
qui approuvait M. Georges d'avoir renié la tutelle.
De toute façon, les habitants de Kersardine étaient
à l'ordre du jour et l'attention de tous ne les quittait plus. Ils se défendirent, et mieux eût valu laisser tomber. Cela parut renforcer l'acrimonie.

— Quand je pense, — gémissait le greffier de
paix, — que tout est venu de si peu de chose;
qu'une calamité de cet ordre serait issue d'une
petite bonne femme et d'un musicien de cirque!
Que nous en sommes là!... Quand je les vois passer,
lui, avec son air dingo, et elle, avec sa bonne mine
paisible, j'enrage. Pendant ce temps, la dernière
création du grand Chapelle est en perdition, et
quatre millions d'outillage vont bientôt rouiller.
Car on parle de plus en plus de l'abandon de la
scierie...

Et il ajoutait :

« Jadis — et je suis pourtant bon républicain — il y avait la lettre de cachet qui garantissait les gens. On fourrait ces créatures-là au Fort-L'Évêque et au Grand Châtelet, la courtisane et le baladin! On en débarrassait les familles, on les dirigeait sur les Amériques... Le musico doit être le plus vulnérable. Qu'on me fournisse une bonne petite malversation, un accroc; j'élargirai, dans un sens spécial.

Le bourg qui avait si bien accueilli Gabrielle, se renfrognait. Certains baissaient les yeux pour ne pas la saluer. Elle s'en rendait vaguement compte, mais se résignait, sachant la mobilité de l'opinion; elle passait sans trop regarder les gens, l'œil vague, mais toujours exactement pomponnée et comme spécialement parée; sans jactance, mais elle-même : « En tout cas, un gentil petit instrument du Destin » raillait l'aimable notaire; sans méchanceté, lui, car il était sensible à la grâce des femmes.

C'était donc elle la cheville ouvrière de la faillite, la désorganisatrice souriante!

— Enfin, — dirent quelques dévotes à l'abbé Meslay, — ne pourrait-on agir contre la femme? l'expulser?

— Voulez-vous vous taire, pharisiennes!... Qui a le droit de jeter la première pierre? Tout cela est cancanages. En tout cas ne vous regarde en aucune façon. Savez-vous comment on juge, Là-Haut?

o

Mais tout n'allait pas si bien. L'archiprêtre d'une grande paroisse urbaine se montra moins prudent; un jour où M. Georges, tout heureux du temps et des agréables commissions qu'on lui avait confiées, se promenait doucement par les rues claires et passait devant le beau vieux prêtre, celui-ci détourna la tête pour ne pas répondre à son salut.

M. Georges ne put croire qu'à une distraction, et toujours content de présenter ses devoirs à un ecclésiastique, revint sur ses foulées pour le rejoindre :

— Monsieur l'archiprêtre, laissez-moi renouveler un salut que vous n'avez pas remarqué...

Ce M. Georges, c'était un composé de balourdise et de finesse... Il en prit pour son rhume :

— Non, Monsieur Chapelle, non!... Parlons moins haut, car ce qu'il me faut vous dire ne sera que la voix de votre conscience..

M. Georges, sa casquette d'amiral à hauteur de l'estomac, le regarda, stupéfait.

« Vous donnez un trop triste exemple, et je ne puis vous suivre dans vos manières de faire et d'être. On commence par se laisser aller avec dissimulation, et l'hypocrisie n'est, après tout, qu'un hommage aux honnêtes gens. Puis vient le cynisme, ou peut-être l'indifférence. Comme l'autruche, on se cache la tête, pensant que cela suffira bien, et tous connaissent votre ignominie.. Je ne tiens pas à être remarqué à vos côtés. Séparons-nous, Monsieur.

— Pardon, pardon!... — fit M. Georges, suffoqué mais se reprenant; — toujours le scandale, le

haro, d'après les pensées, les vues des autres. L'autruche, aussi... Décidément, l'on me compare à
trop d'animaux... L'autruche vit dans le désert,
Monsieur l'Archiprêtre, tant mieux pour elle! L'autruche, — continua-t-il en s'emballant, — l'autruche se cache contre son danger personnel, mais
si nous nous cachons la tête, ce n'est pas pour forcer
les autres à regarder ailleurs... Monsieur l'archiprêtre, je vous saluerai toujours, par respect pour
votre caractère, et aussi pour augmenter vos mérites en ne me répondant pas, car vous êtes aimable!... Je suis un pécheur endurci... L'autruche
vous salue bien, Monsieur l'Archiprêtre, vous salue
encore, et vous refout du chapeau, et encore du
chapeau!!!... Serviteur, Monsieur l'Archiprêtre!

Et M. Georges, écarlate, tira et remit au moins
cinq fois sa casquette d'amiral sur cette place du
chef-lieu où un savant du XVIIIe siècle brandit son
scalpel.

o

Il était encore tout hérissé de l'algarade quand
son cher ami, le curé Meslay, vint le voir. Il s'en
ouvrit avec véhémence. Les choses prenaient une
tournure singulièrement agressive, et bien injus-
tifiée, en y regardant de près.

— Ne vous affectez pas trop. C'est un moment
à supporter, une passe à franchir. La succession,
l'enchaînement de faits d'une logique malgré tout
indéniable, qui se mobilise contre vous. Cette
liquidation agite toute la contrée, vous devenez

l'objet de la curiosité générale, par là même, des commentaires; enfin, des calomnies. Des calomnies ou des médisances, — ajouta-t-il avec un sourire dont M. Georges, malgré son émoi, goûta la saveur.

« L'archiprêtre est le plus honnête homme du diocèse. Je ne le chéris point; même, le redoute : Jansénius n'est pas mort! — mais je le respecte de tout ce que j'ai de meilleur. Il est intransigeant pour les autres, mais beaucoup moins encore que pour lui. Il se refuse tout ce qui peut être facilités. Sachez qu'il y a deux menus chez lui, le sien, et celui de sa Locuste. Le sien n'est qu'un hareng saur, et celui de la canonique, une escalope. Hareng contre escalope. Voilà!... Il faut encore des hommes pareils pour faire croire à la vertu.

« Mais ne vous troublez point tant. Il n'a aucune espèce d'influence, justement à cause de sa perfection. Qu'il vous ait crossé, en somme, vous sera plutôt favorable. Cependant, ouvrez l'œil. Le fait d'habiter en phalanstère excite le public, toujours, et cependant, nul n'en devrait conclure au mal... Il y a des communautés si diverses, mon bon ami... — Il huma une prise que M. Georges trouva bien gagnée — nous n'avons pas le droit de préjuger. Or donc, méfiez-vous, matériellement, si je puis dire... Ne vous endormez pas sur votre innocence. L'opinion se monte, vous êtes isolés pratiquement et moralement. Mon cher ami, vous n'appartenez à personne : vous êtes donc à tous...

— Mais, Bonsoir! je respecte toutes les respectabilités. Elles sont sauvegardées. On n'a pas le droit de m'imputer ce que je ne révèle en rien. On ne peut donc me flanquer la paix, à soixante et tant d'années.

— L'âge n'a jamais diminué les héros. Soyez suave.....

IV

L E gentil petit notaire raccrocha encore
M. Georges dans une partie de chasse en
forêt. On en avait cédé une action au maître
de Kersardine, et c'était une grande faveur!
M. Georges se devait d'intervenir. Il ne fallait pas
faire ça au pays qu'il aimait tant. Maintenant, on
parlait de la vente de la scierie, de la scierie tant
admirée. Lui seul pouvait avoir une influence sur
Madame Olmer.

— Mais non, Monsieur Monnier, pas zag, d'influence!...

— Vous avez des intérêts à défendre.

— Pas un rotin... Attention, les bassets ra-
mènent!...

Mais les chiens forlongèrent. Le notaire, avec
l'obstination douce qui le menait si loin, poursuivit :

— Le sciage subit sa crise comme toutes les
industries; Madame Olmer ne trouvera pas acquéreur, même à des prix dérisoires. Trente, quarante
ouvriers sans travail et une perte énorme. On
ne vend pas en plein trouble économique!

— Ma sœur est très riche, — fit distraitement
M. Georges qui prêtait l'oreille aux abois.

— Justement parce qu'elle est très riche, elle peut supporter les faibles gains de l'usine. Ce sont quelques mois à passer.

— Mais j'vous dis que je n'ai pas l'ombre d'influence.

— Je ne le crois pas. Madame Olmer vous regrette. Elle m'a beaucoup interrogé sur votre manière de vivre.

— Comment, elle est rentrée?

— Depuis huit jours.

o

Il en dit tant que M. Georges se décida à faire une visite à sa sœur, mais sans la prévenir. Il ne téléphona pas; il se fiait au hasard. Pour les faibles, le hasard a toujours compté au nombre de leurs amis, et c'est l'opposé. Madame Olmer se tenait dans le boudoir, fumant nerveusement en face d'un bouddha de bronze noir presque grandeur naturelle et qu'elle venait de rapporter. M. Georges en eut presque peur. D'ailleurs, Boncourt, où M. Georges n'avait pas encore pénétré depuis les travaux, était d'une austérité magnifique, mais inquiétante. M. Georges logeait au pavillon, dans ses séjours de chasse.

— C'est beau! n'est-ce pas? — dit-elle aussi naturellement que s'ils s'étaient quittés la veille. — Tu as eu tort de couper ton bouc, Georges, cela te raccourcit.

— Comment ne m'as-tu pas annoncé ton retour, Mary-Ann?

— Ah, j'ai eu des ennuis, de toutes sortes, grands

et petits. Bilan pénible... Je ne voulais pas te troubler une fois de plus. Le jeune Monnier m'a dit ton bonheur, ta paix, mais aussi, les petits pépins dus à tes ébats. J'ai fait vendre les fromages par câble.

Dès avant son grand départ, Madame Olmer s'était rendu compte que son demi-frère lui manquait. Tout lui tombait dessus, et elle n'était pas faite pour ce genre de mesquineries; ni peut-être pour une si complète solitude. Les manies de Georges, ses enfantillages, sa bougeotte, ses *crimes* même, se disait-elle avec un sourire étroit, apportaient à la cohabitation une animation, en somme, confortable; du piment. Sans qu'elle le formulât, il évoquait le bon chien aimant, aboyeur, et le reste qu'on lui passait à cause de sa riche nature (un animal de plus).

— Ta bonhomie, mon cher, a laissé partout des traces; je regrette ton paletot jaune, ton ombrelle gothique et tes cache-nez... En fait et d'ailleurs, peut-être nous étais-tu bien plus utile que toi et moi ne le pensions. Pour les exploitations, tu étais d'un grand secours...

— Mary-Ann, tu veux rire... .

— Non; on ne venait à moi qu'après avoir passé par ton tamis. Rien ne m'est plus épargné, et il m'aurait fallu prendre un factotum, le mettre en train, faire du charme... Non. Parvenir à une familiarité juste de rapports. Non! Précisément, il y a eu des ennuis de personnel, des cabales contre un surveillant digne d'intérêt, puisqu'il prenait les miens, d'intérêts. Les gens de la scierie ont même parlé de se mettre en grève, pour obtenir son renvoi.

Tu penses si ça tombait bien! Avec toi, ils s'accordaient. Tu aurais tout apaisé. Ils aimaient ton genre. De la facilité, mais aussi, la bonté... La bonté, cela compte, Georges; je ne raille plus...

— Se mettre en grève, se mettre en grève!... Toi qui les soutenais à perte... Qui leur donnais, car c'est le terme, leur *donnais* du pain.

— Du pain blanc, mais j'en ai assez du métier de boulangère, surtout sans mitron, et, Georges, sais-tu ce que ces imbéciles ont inscrit en tête de leurs cahiers de revendications? *Des cabinets à chasse d'eau*!!! Les W. C à la romaine ne leur suffisent plus, les humilient, attentent à leur dignité. Ces Messieurs veulent ch... assis. [Madame Olmer ne ménageait pas ses termes...] et l'extraordinaire usine à laquelle j'ai apporté tant de soins, de perfectionnements, ne compte plus. La *dérouleuse*, Georges, une machine venue de Suède, qui fait des placages comme une feuille de papier! Toute l'installation de récupération des sciures, des déchets; les scies à ruban spéciales!... J'avais d'ailleurs beaucoup de peine à leur trouver du travail.

« J'ai dépensé plus de trente mille francs en dépêches câblées. J'avais pensé à te demander de revenir. J'ai fait une boulette ridicule avec mes scrupules, moi dont le cuisinier annamite couchait avec l'infirmière, avec le boy, et servait lui-même d'épouse au traducteur juré. J'aurais eu le dessous, en apparence, mais Gabrielle est aimable, discrète, et tous, autour d'elle, sont du brave monde. Mais, aujourd'hui, j'ai ma revanche en liquidant. D'ailleurs, tu as goûté à la liberté et, alors...

— Je ne peux pas y penser. D'ailleurs, s'ils se mettent en grève... Nous n'allons pas nous esquinter pour une engeance! Ce serait la première fois que nous serions en grève!... Et j'ai mes occupations. Y a eu un peu de gauche, mais ça ne peut pas durer. Au lieu d'emmener Jacques chez les sauvages, passe-lui le domaine.

— Là encore, ça ne va guère. J'ai été obligée de l'envoyer au loin. Il n'est pas de tout repos.

— Ah... ah!.... C'est pourtant un garçon remarquable, et il semblait aimer ce pays.

— Je ne sais trop ce qu'il peut aimer. Bon, c'est vu! Je gardais la scierie en souvenir de mon père. Mais, tant pis; une usine, comme un homme, peut mourir.

— Se mettre en grève!... Mary-Ann, est-ce possible?

M. Georges se révoltait. La soumission profonde qui restait en lui, la faculté d'accepter, lui faisait trouver toute conjuration criminelle. Les temps changeaient plus vite que lui. Il se sentait par trop démodé.

V

UN dimanche froid, qui annonçait les frimas
prochains. Un peu de soleil, à midi, qui
s'amplifia. M. Georges recouvre ses greffes.
L'écussonnage est un exercice de dextérité et il y
montre beaucoup d'adresse. Il vêt ses pupilles,
avec la notion sensuelle de ce qu'ils peuvent redouter. Le jardin-dépotoir de jadis se transforme.

Un homme en bourgeron bleu vif descend de vélo
à la barrière de Kersardine. Puis deux autres l'y
rejoignent. Et soudain, la pente de la route paraît
déverser des cyclistes. Ils sont huit à se concerter.
M. Georges, sur l'autre façade, ne peut rien voir;
Madeleine l'appelle du haut de sa chambrette; le
groupe, au bout de l'allée funéraire, l'inquiète...

— Je viens, — dit-il paisiblement.

Il traversa la maison pour ressortir sur les cinq
marches du perron d'accès, s'y campa dans une certaine qualité d'attitude, en attendant ce qu'on désirait de lui. Il aimait ces rencontres, ces hasards
étrangers. Les jours s'allégeaient ainsi. Il portait
un préjugé favorable au visiteur.

N'ayant que ses lunettes de travail, il ne reconnaissait personne dans le groupe; tout au plus dis-

cernait-il son espèce inélégante. Il tira ses ronds
d'écaille, cligna : c'étaient des ouvriers de la scierie.
Ils avançaient en corps. A leur tête, un M. Merlin,
un contre-maître qu'il favorisait, jadis.

Le vieux parle avec respect :

— Nous voudrions vous causer, M. Georges, si
vous voulez bien le permettre...

Un autre, assez jeune, la trentaine environ, un
type d'un mètre quatre-vingt-dix, reprend comme
pressé d'affirmer :

— Nous tenons à vous voir, Monsieur Chapelle!
— et sur un ton très différent.

Il les fait entrer. Tout le monde ne pouvait s'asseoir. Il demanda des sièges et serra les mains.
Gabrielle leur apporte des chaises et vérifie les en-
vahisseurs, adressant des signes de tête à ceux
qu'elle reconnaît, mais discrètement, comme il
convenait à son style. On lui répond sans chaleur.
Sourires rares.

— Servez-nous, Madame Renard.

Les verres *ad hoc* ne quittaient pas le buffet.

Après le départ de la jeune femme, le grand type
referma la porte dont la clanche était restée en
dehors du mentonnet. Ceci, sans affectation, et
comme par bon ordre machinal.

On but, mais sans claquer de la langue. Que vou-
laient-ils donc, ces gens?...

— Qu'est-ce qu'il y a pour votre service, mes
amis?

Le vieux parla d'abord. On savait maintenant —
du moins tout le monde le répétait — que Madame
Olmer avait l'intention de liquider la scierie comme

elle venait de le faire pour la laiterie. On désirait connaître ce qu'il fallait en penser, définitivement.

Silence pesant. Le vieux reprit avec circonspection, gêne évidente. On certifiait que cette décision avait pour point de départ l'abandon du domaine par M. Georges. Les ouvriers s'excusaient, mais la chose prenait pour eux une telle importance...

— Je crois, — répondit M. Georges (quelle colle, quelle poisse!) — que ma sœur ne tient pas à garder des exploitations très lourdes et qui l'entravent. Je comprends votre souci.

— C'est fait, alors? —intervint la grande ganache aux oreilles décollées.

Sans porter les yeux sur lui, comme s'il l'ignorait, M. Georges ouvrit les mains... Tous se regardèrent, consternés.

Puis le nouveau venu, le délégué, poursuivit avec une hâte, une brusquerie qui choquèrent :

« Il serait bien simple de revenir et de reprendre la place que vous avez laissée ».

Le vieux désapprouva. Pas si vite. On cause à la normande, à la douce, et il s'interposa :

— Sans en demander tant, M. Georges pourrait peut-être parler pour nous à Madame Olmer? C'est tout de même une grosse affaire, Monsieur Georges, et la plus belle scierie jusqu'à Honfleur et les Duchêne...

Tous hochèrent la tête, sauf le gueulard qui restait braqué.

— Mais je ne puis rien, ou pas grand'chose; — M. Georges haussa les épaules, car cela finissait par devenir exaspérant : — Je n'étais pas chez moi; il y a des situations longtemps indécises qui se dénouent brusquement. — Il réagit : — Madame Olmer sait ce qu'elle veut et le fait.

— Madame Olmer flanque tout le monde à la porte; — répliqua le meneur avec éclat — et puis elle s'en fiche. Vous aussi, elle vous a balancé, et paraît que vous étiez là depuis vingt-cinq ans.

— Pardon, pardon!... — répliqua M. Georges, en bossant du dos : — Madame Olmer ne m'a pas balancé. Ce serait une vraie injustice de le laisser croire, de le lui reprocher, ah mais!... C'est moi qui suis parti de mon plein gré... Non, — reprit-il, — il ne fut pas question de congédiement. Ma sœur est stricte, mais généreuse. C'est délibérément que j'ai abandonné.

— Tout le monde le dit et le répète (paraît qu'elle-même ne s'en cache pas), que c'est votre départ qui lui fait tout bouziller.

— Possible, mais c'est pas à elle d'en être incriminée. J'entre dans mes soixante-trois ans, bientôt, et j'ai droit à la retraite, comme tout le monde. Pas toujours à rester sur la brèche, à se battre, à lutter...

— Ça allait tout seul. Comme elle est montée, la scierie va sans qu'on s'en occupe.

— Que vous dites...

Le vieux reprit, en patelinant :

— Vous êtes de not'bord, M. Georges, on le sait... On n'est pas si bouché qu'on ne sache pas les tenants et les aboutissants... C'est nous qu'on trompe là-dedans, mais c'est vous qu'on a berné, de même. Nous devrions nous soutenir.

L'homme agressif pouvait ne pas être si acharné, car, à son tour, il laissa filer, dans le même ton grognon qu'avant, pour ne pas perdre la face :

— On sait que vous étiez bon pour l'ouvrier. Avec vous, pas d'histoires. La scierie marchait toute seule, et...

Ils y revenaient encore! L'automatisme de l'outillage, son rendement journalier leur semblaient des choses indérangeables, naturelles...

— Vous voyez cela de loin, ou plutôt de trop près, — grogna M. Georges, et il réentendit la phrase de sa sœur sur le « quotidien », qui l'avait frappé par son aspect anormal : — le *quotidien* vous aveugle...

— Quel quotidien? Les journaux, pour ce qu'on en fait!...

— Sans les journaux, minute, on s'rait déjà bouffé.

M. Georges se leva; la moutarde lui montait aux narines. Mieux valait rompre. Mais ils ne bougèrent pas. Les simples sont difficiles à déplanter. Il fut debout devant leur groupe noueux.

« Alors, — recommença le meneur d'une voix âpre, — pour un caprice, pour une lubie, on nous fout sur le pavé, et on escamote notre gagne-pain? Tout le monde s'en bat l'œil; elle d'abord et vous ensuite. Vous avez des droits. Faites-les valoir.

— Aucun droit...

— Marchez, ils vous ont bien eu! La fille valait le père!

— Sacré nom!... — proféra M. Georges, que

son éducation avait absolument amputé du juron :
— Sacré nom d'une pipe! — il pouvait bien juger
sévèrement l'auteur de ses jours, mais que nul n'en
prît, devant lui, la liberté. Il gronda : — Vous en
avez un culot! Monsieur Chapelle fut un des hommes
les plus épatants de son époque... Ah, vous le jau-
gez, vous le condamnez... Ce que mon père a fait
pour moi, il n'y était pas tenu. Puisque vous êtes
au courant, sachez que je lui suis reconnaissant
de m'avoir reconnu... Je veux dire, d'avoir fait
son devoir; un devoir, oui, quand tant d'autres,
une fois pris le plaisir, décampent. Vous en avez
un toupet, sacrée pipe!!... Un homme pareil!...
Quand il est venu ici, les gens gagnaient trente
sous par jour à faire des bourrées, et c'est lui le
premier qui a su exploiter les laiteries. Il vous a
mis à table, et, maintenant, vous voulez le démé-
nager. Il s'est tué à fonder des maisons prospères.
Tout son luxe y passait... Prospères, parce que,
D'ABORD, bien conçues et bien administrées.

Ils s'étaient levés aussi. M. Georges en colère?
On n'avait jamais vu ça.

« Va toute seule, va toute seule, la scierie!...
Saperlipopette, non pas grâce à Chapelle Georges,
ni à son bedon!... Non, non!!! Grâce à Monsieur
Réginald Chapelle de Boncourt, qui était un fon-
dateur, vous entendez; à mon père, que je vénère
quand on le débine. Grâce à ma demi-sœur, qui
a mis plus d'argent dans la boîte qu'elle n'en reçut
jamais, et en souvenir du Père. Rompez, Cré
Bonsoir!... J'suis chez moi pour quèque temps
encore.

— Monsieur Georges, Monsieur Georges!...

— Comment, vous vous mettez à enquiquiner
Madame Olmer! Vous vous fichez en grève pour
des goguenots en acajou, des goguenots à chaî-
nette! Un illustré pour y rêver? une cigarette anglaise pour y fumer? C'est pas sérieux. Allez!...
Madame Renard!

Dans la seconde, la porte s'ouvrait en coup de
vent.

« Servez la rincette, Madame Renard, parce
qu'on sait vivre, et vous reconduirez ces Messieurs.
Serviteur!

o

Mais Gabrielle avait déjà la main sur l'avant-
bras de son maître :

— Mon Dieu, Monsieur, ne vous mettez pas
dans des états pareils!... « Rapaisez »-vous ... Et
pour qui, et pour quoi?

Une volte-face d'un tordion de hanche, et, tous
les crocs dehors, que vit-on, qu'entendit-on? La
petite mule dorée, fulminante, braquée sur le tas
d'hommes :

— Vous aviez beau « crouiller » la porte, vous
croyez qu'on ne vous entendrait pas! L'âne, ça
va loin... Vous n'avez pas honte?

— Gabrielle, taisez-vous, servez!

— Plus souvent que je leur paierais à boire!...
Qu'ils mâchent leurs dents... Venir faire du boucan,
dans une maison tranquille! Contre un homme qui
n'est que bonté et main ouverte... M'sieur Merlin
c'est pas digne de vous! Quand vos enfants étaient

malades, qui fut là? Et vous, M. Féroux, qu'est-ce
qu'on ne vous apportait pas? Et vous, Lecointre,
qui a tenu votre petite fille sur la table quand on
lui fit la *tranchatomie?*

Les hommes n'étaient pas à l'aise devant le
fox-terrier en fureur, devant cette faiblesse irritée.
Ce mystérieux effluve de la colère parvenait plus
loin que le cerveau. La petite donnait de tout son
être pour défendre son M. Georges, qui, subitement,
s'était calmé en présence d'une colère bien plus
déclarée que la sienne...

— Allons, Gabrielle, voyons!...

Elle arriva juste aux pieds du délégué géant,
et là, dressée, la tête renversée, le corps en arc :

— Et vous, grand Laquedem, grand décrocheur
d'andouilles, vous ne pouviez pas la fermer?

— Gabrielle! — hurla M. Georges, au comble
de la joie : — Gabrielle, ne soyez pas commune!...

— Non mais, laisser crever de misère toute sa
petite famille pour aller taper de la goule au bistrot!... Les mioches à la rue, et débrouillez-vous.
J'suis bon qu'à les faire...

— Ah, mais dites-donc!...

— Dire quoi? dites-le donc, ce qu'il faut que je
dise? Que vous n'êtes qu'un, et qu'UN, et UN
encore, et le plus failli de tout le peloton. Et ça
veut parler avant les autres! De la gueule et pas
de cœur! Allez, qu'on me débarrasse le carreau,
j'ai pas fini mon ménage! Allez, rebouffez du kilo-
mètre pour vous dessoiffer... Que je les nourrisse?
J'suis pas engagée comme fille de basse-cour.

— Gabrielle, saperlipopette!...

— Monsieur Georges, vous frappez pas la poitrine, tout ça, c'est du mauvais monde, et la Patronne fait fichtrement bien de nettoyer ses étables.

— Messieurs, je m'excuse... Cette jeune femme est fort vive, comme vous le voyez, et...

— Ça va, on les met, entendu. On reviendra peut-être un jour, et d'une aut'manière... En attendant, on sait à qui parler. Elle nous a traités comme les derniers des derniers...

— Les derniers sont les premiers... Ça ne se voit guère que dans l'Évangile, et vous n'y croyez plus, — reprit Gabrielle, en poussant les traînards, qui, en fait, ne s'ennuyaient pas outre mesure.

Le père Merlin, pour garder la barre, voulut le faire à la dignité :

— Monsieur Georges, — déclara-t-il; — je me remets le chapeau, et, c't'égal, on n'aurait jamais été reçu ainsi à Boncourt. On voit bien que la Renard a ici des droits.

— Mais oui, — répliqua doucement l'ancien humaniste, dont la gaieté secrète réclamait quelque épanchement :

Les droits qu'un esprit ferme et juste en ses desseins,
A sur l'esprit borné des vulgaires humains.

« Gabrielle, à boire! »
Elle revint vers la table avec une légèreté d'elfe furibond :

— Tenez, t'nez encore... Faillis!
L'alcool de cidre débordait. Ils ne burent pas.

VI

— Tu as été *superbe*, Bébelle!....

Elle haussa les épaules. Tout ça, quand
même, c'était pas du bon. Bien sûr qu'elle
l'avait rivé, le clou, mais ça n'arrêterait pas les
langues. Elle était encore empourprée de sa gamme,
et elle allait et venait dans une agitation nécessaire. On parlait, on parlait, de tous côtés, on
tapait du bec. Mais les gens n'avaient donc rien à
faire pour s'occuper ainsi du prochain? Ils ne
demandaient rien à personne, eux, à Kersardine!

Elle ne s'apaisait point. Il lui prodigua les mots.
Sa petite ruse savait que les mots accompagnent
bien les décours de colère. Ça aide à faire baisser la
température... Mais elle gardait les sourcils froncés,
et si M. Georges n'en avait guère, elle en possédait
d'impérieux.

Finalement, sentant la nécessité de trancher dans
le vif.

— Le chef de gare, Bébelle?

— Faut dire « le train », — reprit-elle, mi-sou-
riante, mi-grondeuse : — On ne nomme pas le
chef de gare, en société...

— Mais nous sommes seuls; Bébelle, « le train »!

— Oui, « le train », — fit-elle, épanouie, enfantine.

M. Georges se campa. Il fit « Toutttt! » Et puis « Oinnn! » (la trompette du départ), et alors «Choutt'! choutt'! choutt'!... », et ils s'ébranlèrent en traînant les pieds... Ils firent le tour de la table en pouffant et en renouvelant leurs onomatopées. On ralentit, Monsieur Georges siffla... « Les plaques tournantes, les aiguilles; boum boum!... » ... et enfin, éclatant de rire, Gabrielle décrocha en criant «Buffet », et arrêta la locomotive devant l'assiette....

— Si on nous voyait, — fit M. Georges, malgré tout, un peu honteux.

— Premier service, — fit-elle en agitant la sonnette.

o

M. Georges était parti se promener. Gabrielle se rembrunissait. Elle était de celles, qui, après l'action, aiment à en considérer toutes les faces; elle n'avait pas eu sa part de bavardage et de commentaires nécessaires. Elle comptait sur Madeleine, mais pendant qu'ils faisaient « le chemin de fer », la petite avait gagné l'Église et les vêpres; de telle sorte, que, grosse de paroles, elle se jugeait lésée.

Mais quand l'enfant rentra, elle s'aperçut que là non plus ça n'allait pas fort.

— As-tu entendu ces goujats? — lui demanda-t-elle, avec un petit rire au lieu d'une colère.

— Oui, Maman-Belle, — répondit la fillette, — oui, hélas, j'ai entendu...

Kersardine ne permettait pas beaucoup les secrets.

— Quelles sottes bêtes! — reprit la gouvernante en astiquant. — On ne peut croire qu'il y ait des gens aussi réduits. Ça m'a fait du bien; ça détend.

Madeleine hocha la tête; puis se plaignit :

— C'est terrible qu'on soit ainsi obligé de se disputer, toujours; de se battre. Je regrette bien de tant savoir, de tant apprendre... Qu'est-ce que Bon-Papa voulait dire avec son père? Pourquoi est-il ainsi à l'égard de sa sœur? on dirait qu'il se sent coupable envers elle?

— Par exemple!...

— Il a peur de sa sœur; c'est certain...

— Ça non. M. Georges est d'un premier mariage moins riche, voilà, et c'est tout.

— Il est, alors, du « premier lit » ?

— Ne dis pas de gros mots, Madeleine : du premier mariage...

Mais la jeune fille n'écoutait plus; elle songea devant la fenêtre où baissait le jour :

— C'est comme pour Maman. Pourquoi est-ce que M. Georges m'a comme adoptée, retirée à Maman? Parfois, je crois comprendre, mais pourquoi m'adopter comme il l'a fait.

Quel Dimanche, saperlipopette!... Madame Renard s'efforça, vaillamment :

— Ton père est mort très vite, et, un jour, à une battue, il avait comme sauvé la vie de M. Georges, tombé devant une laie suitée et furieuse. La laie blessa ton père, qui n'était pas très solide, et, sans dire que ça l'ait emporté, ce n'était pas pour le guérir.

— Ah, c'est donc cela, — répliqua la petite,
avec mélancolie. — Il s'y croit un peu obligé...
Chez Maman, il n'y a pas une photo de Papa.

Elle se secoua : « Je monte travailler... »

o

M. Maret rentra plus tôt. Gabrielle le mit au
courant; elle était maintenant tout à fait calmée,
mais, à la place de son excitation, le souci s'installait :

— Tu comprends, Samuel, le pauvre M. Georges
finira par ne plus avoir une minute de bonne...
Et puis, vois-tu qu'il s'en fasse une conscience?
On aurait dû partir plus loin, tout refaire.

— Laisse donc tous ces petzouilles, Bébelle,
— mâchonnait le musicien; — tu leur fais trop
d'honneur. Tu as eu rudement raison de les mettre
au pas, mais n'y pense plus. M. Georges se laissait
mener?

— Ah, mais, pas du tout! On croit le connaître, et
il vous surprend. Ça nous en prépare! Tu m'aimes?

— Passionnément, et rien que toi; toi seule,
toi unique au monde; toi pour toujours et à jamais!
Mot d'ordre : Bébelle et Bayreuth!

— Qu'est-ce que c'était, hier?

— Bébelle et Bernay!

— Et demain?

— Bébelle et Byzance!

— Et après-demain?

— Bébelle et Bruxelles; mon chou de Bruxelles!...

— T'es bête, mon Sam, — ronronna-t-elle, ravie.

— Bien sûr, sans ça je ne serais pas si intelligent.
Attends :

Il sauta sur la table, se déplaça parmi les assiettes, sur les mains, en faisant le chêne fourchu,
et quêtant une écuelle dans la bouche. Bébelle
applaudit, transfigurée.

o

M. Georges s'enfonçait distraitement dans la
campagne. A marcher, tous ses ennuis fondaient,
d'ordinaire. La promenade, même sans fusil, avait
pour lui l'apaisement de la lecture pour les clas-
siques. Cependant, l'obsession, cette fois, résistait.
Trop de chocs successifs venaient d'enfoncer le
souci.

Il tirait Coco avec moins de ménagements. Le
chien se faisait toujours un peu traîner. De temps
à autre, M. Georges l'attendait, car l'aveugle tenait
à tirer de son odorat ce que lui refusait sa vue, et
il méditait sur les odeurs. M. Georges, soudain
piqué, restait souvent immobile bien plus qu'il
n'aurait fallu, mais, comme Coco ne pouvait
prendre l'initiative, il n'y avait pas de raison de se
remettre en marche...

N'y eût-il pas été question de grève que
M. Georges aurait pensé à des concessions. Mais
l'idée d'une révolte, de toutes ces révoltes, l'irritait, le remplissait de vindicte. Il était d'ailleurs
de ces caractères dont la faiblesse se complaît à
l'idée du châtiment, beaucoup plus, en fait, qu'au
châtiment lui-même : « C'est bien fait!... » disait-il,
de primesaut; après, intervenait la pitié. Il croyait,

de toute son inconscience, à l'immanente justice.
Ainsi, confusément, il admettait que la fin de sa
vie ne dût pas être si tranquille. Un vieux complexe
de culpabilité lui faisait plier les épaules et se
soumettre.

Il aimait et approuvait la résignation. Pour lui,
la résignation restait une des plus hautes vertus.
S'il venait de s'y refuser dans ses rapports avec sa
sœur, ce n'était qu'en apparence. Il se soumettait
à la nature des choses, soumission bien plus profonde qu'une brisure accidentelle, qu'une déroga-
tion profitable. Il trouvait juste d'être abaissé, de
péricliter.

Et même l'eût-il voulu, à quoi bon intercéder,
intervenir, même en reparaissant? Madame Olmer
ne revenait pas aisément sur ses décisions. C'était
de sa part, sans doute, une épreuve de force. Elle
avait voulu, une fois de plus, *le posséder*, le convaincre : « Si ce que je pensais hier était une erreur »,
disait-elle, « pourquoi risquer de me tromper une
fois de plus, en pensant différemment aujour-
d'hui? »

Ah, ces gens à esprit vif, quelle gêne pour leurs
compagnons! La vie, pour eux, ne s'arrangeait
jamais; ils l'arrangeaient, et ainsi se substituaient-
ils aux événements, à ce qui pouvait s'appeler la
Providence dans beaucoup de cerveaux confus.

« Il est confortable », songeait M. Georges,
d'être un esprit confus... En route, Coco, au
« ravitaillement. »

o

Comme il attendait son beurre qu'on lui préparait soigneusement, le fermier endimanché l'entraîna pour prendre le petit coup d'usage. C'était
une bonne maison, de grande eau-de-vie de cidre,
et M. Georges se sentait plein de considération
naturelle pour cette excellence. Le ménage lui
plaisait. Tout le monde était bien habillé, et les
filles se faisaient remarquer par leur beauté et leur
élégance. Ah, la jeunesse d'aujourd'hui a la partie
trop belle...

— M. Georges, — lui confia l'homme quand ils
furent seuls, — je crois qu'il vaut mieux vous prévenir; les gars de l'usine paraissent très montés
contre Madame Olmer et contre vous. Ils sont repas-
sés par ici, en revenant de chez vous, et il y en a
certains qui m'ont semblé à surveiller sérieusement...

M. Georges se mit à rire au souvenir de Gabrielle :

— Mon cher Monsieur Mathieu, ils se sont fait
remettre à leur place; ils ne l'avaient pas volé; ça
les dressera.

— Oui, mais le moment est mal choisi. il n'y
a plus d'autorité, vous le savez bien. Les mauvaises
gens se sentent tout permis; l'honnête homme, au
contraire, devient le souffre-douleur. Le grand
Lagnel me paraît faire bien du mal, et comme
frappe, je crois qu'il est de première! Avez-vous
d'autres chiens que celui-ci?

— Oui, mon setter.

— Vous êtes bien isolés. Quand même, un bon
dogue ne vous ferait pas tort.

— Dites donc, vous croyez qu'on en est là? Nous attaquer? Vous voulez rire!...

— Je ne veux pas rire. Attaquer? Le temps en viendra peut-être mais ce n'est pas encore pour aujourd'hui. Quelque farce; vous faire peur...

— Me faire peur? — fit M. Georges, — ce ne serait pas si facile, Monsieur Mathieu. Je suis pusillanime, mais... — comment dire? — pour les complications et les embêtements. Quant à la frousse, à l'ordinaire elle ne me prend qu'une fois le danger passé.

Il disait vrai, mais peut-être était-ce de ce soir-là que M. Georges se reconnut brave, physiquement brave. Que de choses nouvelles pour sa pauvre tête!... L'habitude de la chasse, et sans doute, une ancienne hérédité gentilhommière bien lointaine, bien abâtardie. Ces Chapelle avaient servi sous l'Ancien Régime; de ces pauvres diables qui usaient leur jeunesse à l'armée, et revenaient crever sur leurs lopins. Brusquement, cela le ravigota, un peu de menace. D'autant plus que son imagination ne l'épargnait pas. Tout de suite, apparaissaient les bandits, les « chauffeurs », ce qui court dans les cervelles paysannes et qu'on enferme avec soi en tirant les contrevents pour la nuit. Il fit même son plan de défense; un fusil de chaque côté du corridor....

— Eh bien, Monsieur Mathieu, on les recevrait. Je ne suis pas manchot. J'ai trois flingots à la maison et je charge vite. Je vais faire des cartouches de cendrée à moineaux : ça fesse et ne blesse pas. On s'amuserait, quand même.

Il venait de renoncer au tragique, justement par courage.

— Ce que je vous en dis, — reprit l'autre, — c'est pour vot' « gouverne ». D'ailleurs, plutôt que vous, c'est contre Madame Renard qu'ils vitupèrent. Dame, celle-là, elle peut se tenir à carreau.

— Mais, pardon!... pardon!... ça change. Que sont ces gars-là qui ne savent pas rire de la colère d'une femme? Y aurait donc plus de Normands? Il est vrai que tout ce monde vient d'on ne sait où. Des espèces d'Arbis, des rouges d'Espagne... S'en prendre à une jeune femme?... Allons donc, c'était sur le moment! Dans trois jours, ils ne feront qu'en rigoler, de leur engueulade, car, pour les engueuler, ma gouvernante les engueula! Je ne puis pourtant pas payer un port d'armes à Madame Renard, ni lui apprendre à tirer au blanc. Je lui dirai de ne pas trop sortir à nuit tombée... Et Madeleine, saperlipopette! avec ses retours? M. Maret doit avoir du cran; je le préviendrai...

Il repartit d'un bon pas, tirant Coco à la longe, et sans pitié pour ses petits plaisirs.

VII

DANS le bureau de M. Georges, après le dîner. Avec M. Maret, ils sirotaient le petit coup. Gabrielle s'était retirée.

— Monsieur Maret, avez-vous chassé, autrefois?

— Jamais, Monsieur Georges, et je n'aimerais pas ça. Les gros bruits me sont désagréables.

— Vous n'avez pas fait la guerre, M. Maret?

— Si, et justement : il y eut trop de tapage autour de moi.

Il hésita quelque peu, mais l'atmosphère était aux confidences. Il reprit :

« D'ailleurs, j'ai été trépané.

— Comment, mais ça ne se voit pas!

— Mais si, c'est pour ça que je « ramène » un peu. Ce fut très bien fait. Mais je déteste me servir d'une arme à feu. Du moins, sans nécessité.

— Et vous ne portez aucune distinction, aucune décoration? Eh bien, j'en sais, qui, pour une égratignure, s'en fourrent jusque-là.

— J'ai la croix de guerre, avec palme.

— Est-ce que Gabrielle est au courant?

M. Maret eut un regard de coin, et M. Georges se jugea indiscret.

— Ne le lui dites surtout pas, — fit l'artiste, — c'est pas une recommandation....

— La croix de guerre avec palme, pas une recommandation! — s'écria M. Georges, presque indigné, car il était profondément panachard.

— Mais non : la trépanation... je ne lui ai parlé que d'un bobo! Vous auriez voulu que je pusse vous accompagner à la chasse?

— Oh, non... Seulement, voilà (à un guerrier on pouvait tout dire), les imbéciles de Maneville, parlent, dit-on, de nous attaquer, de nous faire des farces; alors je désirais savoir si vous pourriez, le cas échéant, prendre part à la défense.

— Pardi! C'est une autre affaire. Bien sûr!... Le mieux, en cas d'agression nombreuse, c'est d'employer les grenades. Je me mettrai de la cire dans les oreilles, et quand ils monteront l'escalier, je leur flanquerai des citrons. Je suis grenadier-breveté. Ils périront tous!...

— Ah mais, pardon, pardon!... Je parlais d'une guerre pour rire. D'ailleurs, nous n'aurions pas de grenades.

— Si, je connais un dépôt clandestin qui sert à des pêcheurs de rivière. L'on m'en confierait certainement; je donne des leçons de musique aux marmots. J'en rapporterai demain, M. Georges, une vingtaine sans doute. Il y aura de quoi régler tous vos grévistes.

— Mais je ne veux pas les tuer. Pas du tout!

— Bon, bon, fort bien! Moi, je n'y tiens pas personnellement. Qu'est-ce qu'on fera, alors?

— On leur ferait peur.

— Des fusées?

— Pourquoi pas? Vous connaissez un artificier, aussi?

— Moi-même; ça faisait partie de la préparation. Je sais fabriquer les pluies d'étoiles, et ces boîtes qu'on appelle des marrons.

« Encore des gens à projets, et qui foncent tout de suite », se disait M. Georges; « mais c'est intolérable!... Si je lui avoue que Gabrielle a été désignée, visée, il me dénichera des mitrailleuses. Ah, ces militaires!... Mais c'est un héros. Trépané!... quand même, se défier un peu; ça ne rend pas la vie facile, la vie en commun. Comment a-t-il pu faire du cirque? »

Tous deux réfléchissaient.

M. Maret reprit :

— Je puis, en tout cas, vous installer des avertisseurs électriques au rez-de-chaussée. C'est un jeu. Il suffit d'une pile de sonnerie qui commande tout le réseau. On vous a menacé?... Ah, par exemple!

— Ne vous emballez pas, mon cher. Ce n'est pas très sérieux.

« Tout de même », songeait-il encore, « ce fut une protection providentielle que de prendre Samuel par la douceur. Si on lui eût résisté en face, il aurait tout fichu à feu et à sang. Et l'on dit que la musique adoucit les mœurs! »

— Même, au fait, quelques détonateurs, continua le calme énergumène; — avec un vieux canon de fusil scié en plusieurs morceaux, on peut en réaliser une batterie. Si on franchit le perron, ça

vous part en pleine poitrine. A chevrotines, sans
même se déranger; on peut dormir tranquille. On
va le matin ramasser les morts...

— Mais, pardon... Il ne s'agit pas d'une héca-
tombe!...

— La tombe n'y fait rien. On ferme les persiennes, et on dort sur les deux oreilles, avec des
chiens de garde pareils.

— Pas question, ah mais, ah mais!...

— Comme vous voudrez. Confiez-moi un fusil.
De là-haut je ferai le guet. J'aurai l'arme et je me
fourrerai des boules Quiès dont j'ai une provision
pour les grand'messes. Qui chante juste, tire juste.

— Comment, pour les grand'messes?...

— Croyez-vous donc qu'après les répétitions, je
me résignerais à entendre l'accrochage public?
Mais, M. Georges, comme Vatel, je me passerais
l'épée à travers le corps! Plutôt que de se perforer
le mésentère, on se garnit les tympans d'amortis-
seurs. Le maître Vincent d'Indy y avait souvent
recours. Enfin, M. Georges, je suis à votre entière
disposition; usez de moi selon l'opportunité ou votre
bon plaisir. Voulez-vous me permettre de me reti-
rer?

o

M. Georges ne se décidait pas à se coucher. Quelle
tournure prenait une vie jusque-là si paisible!
D'autant plus que l'oie blanche, que Madeleine
elle-même n'était pas sans lui donner à réfléchir. Ce
soir, après le dîner, elle s'était jetée dans ses bras,
tremblante d'effusion, de nervosité, changeant le

bonsoir quotidien en drame lyrique... Pour celle-là,
aussi, y aurait du tintouin. Bébelle avait du tempé-
rament, c'est entendu; mais Samuel était un foudre
de guerre; Madeleine se payait des crises; Madame
Olmer cachait un cœur tendre; l'archiprêtre était
un Savonarole; le greffier de paix, un Laffemas; le
notaire, un Machiavel... Et lui, Georges Chapelle?
rien qu'un bon gros. Ça devenait gai!....

VIII

LA curiosité s'accentua encore. Penchés sur Kersardine, les vifs paysans ne quittaient plus des yeux le « pavillon », plutôt la « ménagerie », ainsi qu'ils le nommaient. Les liens qui pouvaient en réunir les habitants étaient commentés, intervertis, compliqués plus encore. Quand survenait Julot, on lui faisait des allusions papelardes; on lui témoignait une cordialité excessive. Tout ce qu'il demandait au village lui était accordé avec cette sorte de componction qu'on témoigne à un homme dans le malheur. « Je ne sais pas ce qu'ils ont tous à me parler bas, comme si j'avais mal à la tête!... » disait-il, soupçonneux, et Gabrielle lui dardait un regard chargé. On avait admis ce mot de phalanstère qu'avait imprudemment prononcé le brave abbé Meslay, et qui parut tout à fait bouffon, tout à fait « ça ». Se défier des mots rares, à la campagne....

Les « phalanstériens » courrouçaient par leur air de bonheur. Ils ne se doutaient pas encore de l'excitation générale, du moins dans son âcreté. Était-ce de l'innocence? — de l'inconscience? — ou du cynisme? Leur aisance parut à la plupart une atteinte à la morale usuelle. Il est entendu qu'une vie déréglée doit créer autour d'elle toutes sortes de calamités, de frictions, de remords, et, ici, cela paraissait aller de soi, réussir, et remplir d'aise, de confort, tous ces égarés.

Ils frayaient peu d'ailleurs, avec défiance, et ayant fait leur choix, car ils avaient été envahis par un autre parti qu'il avait fallu, lui aussi, freiner, écarter. Les viveurs approuvaient bruyamment ce sexagénaire qui s'était taillé, en pleine existence régulière, un *modus vivendi* à sa dimension, à son goût, sans que rien pût l'en empêcher. Pour certains, M. Georges devenait un saint de l'irrégularité, un confesseur du bon plaisir. A ces approbateurs, vite percés à jour, Kersardine avait courtoisement fermé ses portes. Des ennemis de plus.

o

La musique les consolait de tout. La bicoque blanche retentissait de chants sacrés et profanes; bien plus souvent sacrés, et cela leur valut un répit. Le jeune curé, qui d'abord se tenait sur ses gardes, finit par se rendre. Il faut dire que l'abbé Meslay était jugé avec une sévérité outrancière par ses récents confrères. Il restait concordataire et les nouveaux venus suspectaient le zèle des prêtres commissionnés, eux qui n'étaient que misère et ferveur.

Mais Kersardine paraissait une dépendance de l'église. M. Maret avait restauré, en plus du Pleyel droit, un harmonium puissant, et, pour rien, on pédalait. En passant, le jeune prêtre reconnaissait

les grands airs des tribunes ecclésiastiques, la *Rêverie*
de *Thaïs*, l'*Aria* de Bach, des cantates d'Haendel,
et surtout beaucoup de Gounod, car M. Georges
réussissait spécialement dans le Gounod (qu'il prononçait Gounode). Toutes ces mélodies aboutis-
saient à la grand'messe.

Le curé finit par s'arrêter; par entrer; par prendre
« le » café; par goûter avec les enfants de la « schola »; et même, par accepter une invitation avec le
doyen du bourg, qui avait l'esprit large et se montrait reconnaissant de tant de belles cérémonies
dont bénéficiait son église.

Nos étourdis n'avaient aucune arrière-pensée;
leur bon cœur et leur goût de la société seuls les gui-
daient, mais s'ils eussent voulu se réconcilier avec
l'opinion, ils n'auraient pu mieux faire. Recevoir
ces Messieurs, cela comptait dans le pays.

— Il y a le bénéfice du doute, — avait dit le
doyen, et son inférieur, entêté, un peu hurluberlu,
s'en contentait.

Quelle bombance! Quelle chère!

o

Coûteuse, d'ailleurs. De tels extras, un peu trop
fréquents, allaient les entraîner très vite. Ici, l'on
n'avait pas tout à gogo, comme à Boncourt, où
crème, beurre, viande même, dépendaient du domaine. Quand, les premiers mois, M. Georges
réglait les carnets, il se fomentait un instant d'indécision peu agréable, dont souffrait la nymphe
fidèle : « L'on peut faire de très mauvaise cuisine
avec de bonnes choses », disait-elle; « seulement,

il est impossible d'en faire de très bonne sans elles. »

Mais on avait une somme en réserve, fruit d'économies instinctives, et cela paraissait inépuisable.

o

Gabrielle était dans sa cuisine quand parut Mᵐᵉ Lecointre, de la scierie. Elle s'était fait descendre par un camion de l'ancienne laiterie, au bas de la côte, et elle avait pris sa course. Un rien de femme, avec dix enfants. D'où avait-elle bien pu les tirer?

Un accent normand, devenu presque introuvable, qu'elle mélangeait à des sonorités nasales inouïes. Du vacarme, toujours. De la grâce, indéniablement, et de la gentillesse de cœur.

Tout de suite, elle entra dans le vif du sujet :

— J'n' puis res*tai*... que cinq minutes... Mâ-â-me Renard... Faut pas que j'soye vue... Je viens vous accertainer que vous d'vez vous dé*fiai* — ...

Impossible de baisser le ton; l'accent l'empêchait. Tous ces secrets à la cantonade...

— C'est encore de la scierie, Madame Lecointre?

— Pardi!... Les hommes sont tous mal*faî-sanîs*. Ils sont revenus, *épris* de rage! Pas Lecointre qui rigolait. Paraît que vous leur en avez mis, dans le pan*iaiî!* (panier)

— Est-ce de moi ou de Monsieur Georges, que vous voulez parler!

— P'têt' ben des deux... — fit l'autre, soudain interloquée. D'ailleurs, l'attention grave de la jolie femme bien mise, dans sa belle cuisine, lui enlevait de l'aisance.

« J'vous dis, y a, aura du *malfait*... I combinent
des ressorts... On dit que si n'étiez point ici,
M. Georges rentrerait à Boncourt. Y a de la com-
bine... faut pra*i*venir...

— Comment, et en quoi? Vous êtes venue de
votre propre mouvement?

— Pas *droitement*. Lecointre y a mis le doigt,
sans *ren* trop dire. I vous estime...

Gabrielle restait pensive. Les Lecointre n'étaient
pas de mauvaises gens, à coup sûr, mais pouvait-on
savoir si l'avertissement n'avait pas pour but de
l'intimider? Elle remercia beaucoup, puis déclara
qu'elle ne tiendrait aucun compte de ces menaces.
Après tout, on ne meurt qu'une fois... Et il ne s'agissait sans doute de rien qui fût si grave...

Madeleine Lecointre admira sa crânerie :

— Sans blâ-gue!, on m'en dirait le quart! — bra-
ma-t-elle, — que j'me sauverais en Picardie [le
bout du monde]!... Vous devriez quand même en
causer à M. Georges.

— Jamais. Je ne veux pas augmenter ses ennuis.
Comment voulez-vous que j'abandonne M. Georges
quand il a quitté Boncourt? C'est le moment où
il a le plus besoin de service. En tout cas, grand
merci à vous deux, Mâme Lecointre.

Elle regarda partir la petite délurée avec un sentiment mélangé. Un réel souci et une sorte d'orgueil. En butte aux menaces, elle devenait quelqu'un. Prise entre de telles tendresses et de vraies
haines, sa nature passionnée s'épanouissait riche-
ment.

o

Julot croisa Madeleine Lecointre. Il était en joie. La colère de sa femme légitime lui valait beaucoup de considération nouvelle. Deux ou trois des délégués, dont justement Lecointre, au lieu d'accabler Bébelle, la portaient aux nues. Elle avait mis les épateurs en boîte : « Qu'est-ce que tu leur as donc passé? »

Elle haussa les épaules.

« Seulement, — ajouta Julot, — choisis pas les maisons ouvrières pour ton *foutaing*; tu ramènerais des épluchures. Moi, ça m'embêtait, les usines qui claquent, mais Madame Olmer parle de m'emmener en voyage. Même en Italie, tu parles!

— Regarde un peu l'auto, — dit-elle, — M. Georges s'en plaint. »

o

L'auto était un personnage à Kersardine. Le grand train de vie de Boncourt avait fléchi, mais restait la voiture, et ça faisait compensation. M. Georges y était extrêmement attaché et la traitait avec des égards de vieil amoureux, elle aussi. C'était « LA PANHARD »…. Elle avait été conquise avec le remboursement d'une obligation à lots; une folie, mais justement cette mise de fonds exagérée lui conférait son autorité spéciale. On se montrait plein d'égards. M. Georges la nettoyait le plus souvent lui-même, car il aimait à faire briller les cuivres — il préférait les cuivres qui sont plus vivants que les nickels, car les chromes n'avaient

pas encore envahi les accastillages. Alors, en bras
de chemise et les manches relevées, Brillant *Bulher*
en main, ou éponge grosse comme la tête, il retrouvait des chansons qu'il ne sortait que là; un peu
scatologiques, mais si franches ; d'ailleurs tradi-
tionnelles encore :

> Quand le grand Saint Éloi forgeait
> Son fils Ocu, son fils Ocu lui soufflait...

ou bien

> Le curé de la Normandie
> est un vieux so - litaire de sot
> est un vieux solitaire.

et surtout

> Dis-moi, simple fleur des bois,
> Quand tu sues des pieds,
> Mets-tu des chaussettes...

— C'est des chansons de séminaire, — expli-
quait-il, en pouffant.

Julot appartenait à cette catégorie de profes-
sionnels qui n'estiment que leur propre travail, et
qui, par-dessus le marché, sont d'un dévouement
passionné pour la mécanique. Une négligence, une
faute, les mettent hors d'eux. En rentrant du garage, il rencontra M. Georges et Coco qui revenaient,
et il leur passa un savon. Coco était tout content
de reconnaître sa voix, mais M. Georges se défendait :

— Écoutez, Patron, vot'direction a déjà un peu de jeu, et, à l'âge du coucou, faut pas se plaindre, mais si vous ne vous résignez pas à serrer vos boulons de roues, c'est plus du jeu, ce sera de la calipette... Bon Dieu, bloquez vos boulons!

— Mais je les bloque, Jules... Je les bloque, pleine poigne!...

— Alors, on vous les débloque... et des deux roues. Vous devriez fermer le garage, — fit-il négligemment; — ça vaudrait mieux.

IX

L<small>E</small> Mardi suivant, le facteur apporta à Bébelle
une lettre anonyme, où on lui déclarait qu'on
leur ferait un mauvais coup, à elle et à son
musicien, s'ils ne s'en allaient pas.

Elle était là, vraiment sensible, cette fois, et
blessée, parce que c'était des mots *écrits*, et qu'avec
ses origines, les choses écrites ont une force que
jamais n'acquièrent les paroles. Puis, dans la parole,
il y a la répartie qui diminue l'impression du coup
porté. La nécessité, aussi, de ne pas le marquer.
Avec la solitude, la lettre d'injures se renforce
d'une puissance décuplée.

On la tutoyait; on la traitait ignominieusement.
On s'en prenait à Samuel qui demeurait si vulnérable. Elle résolut de le mettre en garde; après avoir
voulu anéantir la carte pour ne pas lui révéler jusqu'où pouvaient aller les insultes, elle comprit que
son premier mot serait de demander à la voir, et
qu'il était impossible de s'y soustraire.

A son tour, elle négligeait la menace personnelle
et n'avait peur que pour les autres; la menace dirigée contre M. Maret, toujours par monts et par
vaux, à toute heure, l'affolait. Cette carte, après la

visite de Madeleine Lecointre, après les roues zig-
zagantes de la Panhard, l'atteignait de plein fouet.
Ainsi, M. Georges n'avait perdu son indifférence
qu'en apprenant la haine soulevée contre Bébelle,
et Samuel, qui eût traité gaillardement les hostilités,
piqua une colère extraordinaire quand il sut que
son amie y avait sa part.

o

M. Maret faisait une très forte impression sur sa
clientèle. Toutes les femmes de la maison, d'abord,
lui étaient acquises, et les hommes suivaient. Ses
grandes manières éblouissaient, et aussi, disons-le,
la conscience et l'ardeur de son professorat. Son
« heure », il la dépassait largement, avec un enthousiasme qui ne mollissait pas une minute. De la réserve, en plus, avec les jeunes filles qu'on lui confiait. Dès que la musique intervenait et qu'il tenait
en main un instrument, ses élèves n'avaient plus de
sexe; cela changeait de l'ancien croque-notes, qui
picorait la jeunesse, jadis. Les gens finissaient par
admettre un être second, une sorte de démon qui
l'empoignait pour peu qu'il lui abandonnât une
phalange. Il est « acarné » assurait-on, avec du
respect et une pointe de malaise.

Mais, les autres, les non-initiés, les indifférents
bouffonnaient autour de sa personnalité si tranchée; ils le surnommaient *Gueule à ressort*, et, les
plus méchants, *la Vache*, à cause de son mufle et de
sa façon de beugler.

Le vin blanc lui faisait aussi du tort. Maret
arrivait chez le bistrot, saluait la patronne en

caballero, et sussurait : « Un p'tit vin blanc,
Madame Unetelle? »... Parfois, lui si supérieur, il
usait d'un subterfuge. Il en demandait *deux*, attendant, disait-il, un ami, qui ne venait jamais, et dont,
finalement, il s'enfilait le verre.

Une fois encore, Gabrielle avait espéré le faire
consommer à la maison, en rentrant. Elle avait
acquis un bon cru léger comme les appréciait son
poète. Les premiers jours, il semblait l'admettre,
mais bientôt, sans refuser le verre-maison, il s'at-
tristait de ceux qu'il n'avait pu s'empêcher de
siffler. Hélas, ce n'était pas seulement la blonde
liqueur qu'il aimait, mais encore l'atmosphère du
caboulot, son odeur acide, fraîche ou chaude, ses
rites, enfin... Il était incurable.

o

Et pourtant, lui était-il attaché, à sa Bébelle!
Il ne lui fallut que dix secondes pour s'apercevoir,
en rentrant ce soir-là, qu'elle était nerveuse et
qu'il y avait du gauche.

— Un ennui?

— Oui... Non... Je ne sais comment dire...

— Bébelle-Bobo?

Elle ne s'égayait pas.

— Alors, Bébelle-Bilan! Aux aveux, femme
chérie, femme jolie!

— Une lettre anonyme nous concernant.

— Donne...

— Mais...

— La lettre...

Elle le dut, soucieuse des vilenies qu'il y trouverait, mais peut-être aussi curieuse de savoir comment son bon ami allait réagir...

Il devint rouge à saigner. Sa mâchoire dansait comme un coupe-racine; il repoussa deux fois la carte, avant d'arriver à la lire en entier, comme si les injures lui pochaient les yeux, lui renfonçaient le plexus solaire :

— SACRÉ NOM DE DIEU!.......

...le grand blasphème qu'on n'avait jamais encore entendu dans la maison.

Elle se précipita pour le bâillonner de sa main. Comme beaucoup de ses concitoyennes, le blasphème inquiétait plus sa superstition que sa piété. Mais il se libéra avec brutalité, et il venait d'envoyer un coup de pied dans un tabouret, qui, retombant sur une pile d'assiettes, éparpilla la porcelaine, fit crier Bébelle de désespoir, et il reprit plus haut encore :

— SACRÉ NOM DE D!...

Et soudain, très bas, alors :

« Je vais faire sauter l'usine, fout'en l'air la boîte! Tu ne sortiras plus sans moi ou sans le vieux. Tu feras la cuisine au premier...

— Mais qu'y a-t-il? — demanda M. Georges que l'explosion venait d'attirer.

Toujours dans une fureur sombre et sourde très surprenante, M. Maret détailla :

— Il y a qu'on vient d'insulter Gabrielle, ignoblement! Qu'on la menace, comme vous, Monsieur. Ces misérables, je les châtierai! J'en ferai un hachis d'hommes. Combien étaient-ils, Monsieur, venus de l'usine? Leurs noms. J'en connais quelques-uns.

La mère de Madeleine me les révèlera; elle est de la coterie. Je vais chercher ce qu'il faut....

— M. Maret, calmez-vous!...

— Oui, les pieds dans leurs tripes!... Je cours chercher mes grenades. Une musette, une musette!

— Mais, pardon! d'où vient la menace, sous quelle forme?

— Tenez...

— Non!!!

Gabrielle poussait un cri d'horreur. C'était plus grave encore aux mains de M. Georges, qui avait moins de compensations pratiques... Mais du coup d'œil fulgurant d'un homme si habitué aux lectures, il avait lu avant qu'elle ne pût lui soustraire la carte. Elle en tomba assise, et de honte, jeta sur sa face son tablier.

Maret tournait dans la pièce avec des yeux de fou.

— « Seigneur, la trépanation!... » pensait M. Georges. Mais il protesta malgré lui. Le musicien venait de s'emparer de la carnassière neuve, de cuir et de filet, que le président n'emmenait qu'en noble compagnie : — Eh, ma belle gibecière!...

— Eh bien, Monsieur, voudriez-vous que je prisse la vieille! — répliqua l'autre, vipérin : — Les grenades ne sont pas des échaudés!... Je ne veux les semer qu'à bon escient, dans la scierie.

— Mais, M. Maret, l'usine ne travaille plus de nuit! Je vous en conjure par ce que vous avez de plus cher, modérez vos transports.

— Ils ne travaillent pas de nuit, — reprit le furieux comme rêveusement... Puis, retrouvant sa tension : — Je vais chercher les grenades. Leur transport n'attendra point...

Venant du tablier, on entendit :

— Vous allez vous faire sauter... Ah, Samuel!...

— Non, ça me connaît. Avant de tomb...

— Bien, bien! — coupa M. Georges; — prenez ma carnassière; je vous la recommande. Mais mettez les grenades dans la poche de cuir; le filet se couperait.

— ...videmment. Fermez toutes les portes. Un mot de passe : « Maret-Malheur »...

Et il bondit.

o

· — Ben, nous voilà frais, — finit par émettre M. Georges, — avec le grenadier!...

Gabrielle ferma le tablier. Mains jointes, elle lançait des coups d'œil désespérés, humiliés, mais elle voulait savoir : ces grenades?... Maret lui avait soigneusement caché ses exploits militaires, et elle devinait des particularités dont son « jaloux » gardait le secret...

— Oui, il a fait la guerre, — avoua M. Georges, — mais il semble en avoir honte. Et pourtant, — ajouta-t-il par esprit de justice, — ce fut un héros.

— Un héros?

— Il a reçu des décorations qu'il ne porte pas.

— Il a la Légion d'Honneur?

— Non; seulement la croix de guerre, mais, sans doute, sûrement, la médaille militaire... C'est un brave...

— Et Jules qui porte la commémorative pour avoir été dans le Train des Équipages, le ruban rouge et blanc! Est-ce que vous pensez vraiment qu'il ramènera des grenades?

— Je le gagerais, — répliqua M. Georges; — la maison va devenir un arsenal?

— Est-ce que vous y croyez, vous, M. Georges? Moi, cela me paraît impossible, l'attaque...

— A moi aussi, mais par nature pacifique; seulement, toujours partir de nos sentiments pour apprécier ceux des autres, je m'aperçois de plus en plus que c'est une belle sottise!... En tout cas, je n'ai pas voulu l'en défier. Il faut laisser de la corde, aux violents, pour noyer le poisson... Il t'aime tant que nous arriverons à le désarmer, sans doute...

Il reprit :

« Nous nous enfonçons... Notre joie n'aura pas duré bien longtemps... Ce qui m'effraie le plus, Bébelle, c'est le nombre, la fréquence de nos colères. Nous n'en sortons plus, comme ça, soudain... »

Il soupira et nettoya ses lunettes.

o

Madeleine vint leur dire bonsoir. Sa contraction ne les étonna pas, à cause de leur propre malheur, M. Georges l'interrogea avec affabilité — et distraction — sur son travail du jour. Puis, ils firent la prière en commun. On l'épargnait au musicien, qui s'y montrait fort respectueux, mais contraint. M. Georges prenait plaisir aux formules. Gabrielle Renard, une fois à genoux, commandée par l'attitude, aurait tout supporté des oraisons latines que débitait l'ancien séminariste, en prononçant à l'italienne « puisque le Pape l'exigeait ». Mais Madeleine priait de toute son âme, au point même de subtilement gêner les deux autres...

— C'est drôle, — fit M. Georges quand ils se retrouvèrent seuls, attendant le maëstro; — je n'aime pas à prier dans l'inquiétude. J'aime à prier dans la reconnaissance, dans l'effusion du remerciement. Après tout, peut-être que je crains d'être indiscret, en sollicitant... Non, c'est par goût de la reconnaissance. J'ai toujours de la difficulté à me trouver une victime. Tant d'autres sont plus malheureux que moi. Si l'on croyait fermement, absolument, on aurait toujours la possibilité d'être heureux.

Il reprit, rêveusement :

« On ne le dirait pas, avec Madeleine. J'arrive à m'inquiéter de tout. Nous jouons aux cartes, en attendant Samuel?

M. Georges avait appris le bésigue à Bébelle, et ils se croyaient un peu obligés de « cartonner ». Madeleine chantait avant de s'endormir, presque tous les soirs, et, dans la maison de zinc, tout s'entendait. Le cantique de la fillette leur parvint; un chant très doux, très enveloppé.

— C'est le *Panis Angelicus* de Franck, — murmura M. Georges qui resta les cartes en l'air, avec soudain des larmes aux yeux : — Quelle ineffable paix! Ce musicien a vu le Paradis...

Le grenadier ne revint qu'à minuit. Elle se précipita. M. Georges somnolait.

Il entra comme rasséréné; en tout cas, souriant, avec orgueil aussi, en montrant la gibecière qui lui mordait l'épaule. Bébelle, sur son geste, enleva le tapis de jeu, et il déposa sur la table sa terrible cargaison. M. Georges, l'air ennuyé, d'ailleurs habitué aux armes, regardait calmement ces cruels petits projectiles; Bébelle écarquillait des yeux énormes et s'abritait derrière son M. Maret.

Il les disposa en rangs :

— Elles sont rouillées, mais bonnes quand même. Un crochet, immobilisé par un anneau et une goupille, les double. Vous arrachez l'anneau, en maintenant le levier dans la main. La grenade est ainsi prête à exploser, mais le percuteur ne fonctionnera que cinq secondes après que vous aurez laissé le levier libre, en lançant le projectile. Ces coupures favorisent la dispersion des éclats, comme les rainures dans les plaques de chocolat au lait, le chocolat suisse.

Deux rangs de quatre, le dernier de cinq.

« Je n'ai pu obtenir que la douzaine, mais, devenu bon Normand, j'ai exigé une douzaine treizée, comme pour les œufs. Avec ça nous pourrions même passer à l'attaque!...

— Contentons-nous de la défensive... mon cher Samuel, — supplia M. Georges....

— Je porterai la lettre sur moi, à même la peau. Elle me préviendra, quand je rencontrerai l'auteur....

o

On dut, quand même, subir les préparatifs de
l'expert. Deux projectiles attendirent dans le vestibule pour repousser une arrivée de face. Quatre
au premier, sur le palier, qui assureraient la pulvé-
risation des assaillants, s'ils avaient pu franchir la
porte, en empruntant le paisible et benoît degré
à l'anglaise; quatre au second : « Dernier réduit,
résistance à mort », expliqua M. Maret. Les autres
s'alignèrent dans la chambre haute du musicien;
c'était « le parc », destiné à la réserve, et, au besoin
à « arroser » l'allée des épicéas.

o

Ils vécurent différemment, avec un sentiment
de défiance qui ne s'allégea qu'à peine, à cause des
armements. Les grenades ne permettaient pas
d'oublier ni les menaces ni les projets vengeurs.
Gabrielle rentrait toujours avant la nuit, car elle
en avait reçu l'ordre formel; elle, qui était naturellement courageuse, pressait quand même le pas
sous la futaie de hêtres, au crépuscule... M. Georges
ne manquait pas d'aller au devant de Madeleine;
tous maigrissaient. Dès que M. Maret tardait un
peu, Gabrielle n'arrivait plus à s'occuper franchement. Elle guettait. Sur l'ouest, elle ne fermait
plus ses persiennes avant le retour de l'aimé.
Si l'usine sautait! Alors, pour peu que l'attente se
prolongeât, elle s'en allait vérifier les explosifs.
Deux à l'entrée, quatre au premier... Trois encore
dans la chambre; quel soulagement! car c'étaient

ceux-ci, sûrement, qu'il aurait emportés s'il avait
eu quelque dessein prémédité.

o

Il avait fallu, d'ailleurs, mettre la petite Madeleine au courant, la prémunir contre les grenades;
lui dire qu'à cause de certains ennuis, on avait pris
des précautions. Elle s'en était montrée excessive-
ment affectée... « De telles menaces??? » avait-elle
demandé, presque sans souffle. On ne pouvait pas
lui répondre que, dans la constitution de l'arsenal,
était intervenu un brin de folie mystique. « Cependant », finit par expliquer Gabrielle, « les
hommes, vois-tu, aiment tant les armes... »

— Mais, Bon-Papa, si doux, à l'ordinaire, il
supporte ces préparatifs?

— Il ne veut pas contrarier M. Maret, qui est
un héros...

— Oui, un héros! — reprit l'enfant; elle ajouta :
— Peut-être nous a-t-on jeté un sort... — Mais la
catéchumène se reprocha tout de suite cette allé-
gation superstitieuse : — Non : une malédiction.

— Mon Dieu! gémit Gabrielle....

— C'est sans doute trop dire, Maman-Belle,
mais un châtiment temporel nous guette. Un châtiment... — recommença-t-elle, avec de la détresse
— Je prie tant que je peux. Seulement.....

— Seulement, quoi?

— Eh bien, à part Bon-Papa....

Elle s'arrêta pile....

— A part Bon-Papa?...

— Ne me demandez pas, Maman-Gabrielle, je vous en supplie! — s'écria l'enfant en se tordant les mains.

Gabrielle ne demanda pas....

X

MADAME OLMER, repartant pour les colonies, prévint M. Georges qu'elle désirait conférer une dernière fois avec lui. Elle lui enverrait Jules avec une voiture dans l'après-midi du lendemain.

— Elle ne veut pas venir nous voir, — songea tristement M. Georges; — elle s'écarte définitivement.

Depuis la séparation, un sentiment différent se développait chez M. Georges à l'égard de sa sœur. Il existait maintenant, entre eux, une sorte d'égalité, chèrement acquise, mais qui changeait les points de vue. C'était presque devenu agréable, ces rares rapports; et même Georges y aurait apporté quelque effusion pour peu que Mary-Ann l'eût permis. Pour lui, l'éloignement ne pouvait pas durer. Il s'était toujours réconcilié; avec ses pires détracteurs, même. Il ne parvenait pas à garder de rancune. Par faiblesse, sans doute, autant que par bonhomie. Et il souffrait de voir qu'on l'appelait, au lieu de venir.

Mais sa nouvelle indépendance lui fit emmener Madeleine. Sans poser à Boncourt, elle rejoindrait le village de la scierie pour voir sa mère. La petite accepta mélancoliquement, comme par devoir, ce que M. Georges ne remarqua pas, avec ses ennuis. Pourquoi Madame Olmer le réclamait-elle? Quelles questions malaisées faudrait-il encore approfondir?

Julot parut, de plus en plus faraud, conduisant une belle voiture anglaise, et regardant tout le monde du haut de ses huit cylindres.

Avant d'arriver à Boncourt, près du calvaire, ils trouvèrent Madame Olmer venue au-devant de la voiture. M. Georges fut gêné à cause de Madeleine, mais, il n'en était plus là; Madame Olmer avait toujours affecté de l'ignorer : eh bien, elle finirait par la connaître.

L'enfant était en beauté; minée par ses préoccupations, elle se délicatisait, sans encore perdre sa fraîcheur de beau fruit. Elle leva, sur la terrible Patronne, des yeux très émus, très beaux, et sa petite bouche bien dessinée s'ouvrait un peu. Ses robes courtes l'exhibaient. M. Georges en éprouva un sentiment flatteur.

Ils descendirent, et simplement, M. Georges :

— C'est Madeleine, — fit-il avec un geste court.

— Madeleine Ray, — murmura Madame Olmer, montrant ainsi qu'elle était au courant. Mais elle la dévisagea sans sévérité; au contraire, même, et la fillette en eut la notion. Une certaine indulgence jouait sur le beau visage sarcastique, et elle entendit :

« Je suis contente de vous connaître, mon enfant...

— Elle va profiter d'être à Boncourt, intervint

M. Georges, avec une décision tranchante, — pour gagner Maneville, chez sa mère.

— Fort bien; d'autant, Georges, que nous avons pas mal de choses à voir ensemble. Jules, vous conduirez Mademoiselle à la cité, et vous l'attendrez. Nous continuons à pied, Georges. Hygiène.

Elle fit un gracieux salut de la main à l'enfant. Madeleine la contemplait, apeurée et malgré tout un peu haletante.

o

Madame Olmer suivait des yeux la voiture et sans doute la jeune forme raidie près du chauffeur.

— Elle a quel âge, aujourd'hui?

— Quinze ans, tout près de seize.

— Déjà!... La mère s'émancipe; on parle de son mariage futur avec le délégué. Mais je n'en crois rien; elle a quarante ans, et lui.... Mademoiselle Marie, la sécularisée, m'a abondamment entretenue de la petite. Il paraît que c'est une enfant excellente...

— Oui, certainement...

La Patronne hocha la tête; elle paraissait avoir à dire des idées qu'elle ne se décidait pas à exprimer. Elle reprit :

— C'est étonnant ce qu'elle ressemble à Yvonne!... A ma sœur morte à dix-sept ans. Cela m'a fait une impression singulière, moins pénible, d'ailleurs, qu'on ne pourrait le croire. Est-ce quand même étonnant, ces identités si fidèles! Quel paraphe imprescriptible!

Mais elle ne riait pas.

« Que va-t-elle devenir, Georges?

— Elle est très douée pour la musique, et je pense qu'elle y trouvera son avenir, Mary-Ann.

— Quel avenir? Une virtuose? C'est bien scabreux. Tu crois qu'elle pourrait faire une grande exécutante; une compositrice?

— Sans aller si loin, peut-être, une bonne maîtresse de piano ou de violon, de violon*chelle*, même [M. Georges prononçait « chelle » à l'ancienne]; Monsieur Maret la regarde comme une de ses meilleures élèves.

— Ah, tu avais pensé à cela en t'adjoignant le musicien?

Il y avait quelque douceur dans le ton, mais M. Georges n'en profita pas indûment. Il était loyal. Il secoua la tête :

— Non; je n'y pensais pas, sur le moment. Ce ne fut qu'après que je compris l'avantage que j'en pourrais tirer pour Madeleine. La musique seule l'intéresse...

— Tu n'y pensais pas, — reprit avec bonté Madame Olmer : — cher Georges!... — Elle poursuivit : — Cependant, dans ta décision, dans ton départ, l'idée de surveiller, d'éduquer cette petite, entrait en ligne de compte?...

— Je m'étais toujours dit qu'un jour ou l'autre cela devrait me déterminer. Seulement, les rapports, entre toi et moi, étaient déjà si difficiles, si délicats, plutôt, que je remettais...

— Tu ne te pressais pas de m'affronter.

— C'est trop dire, — fit-il, en haussant les épaules, — mais la temporisation sera ma perte.

J'ai toujours, impardonnablement, par paresse, sans doute, remis à plus tard ce qui aurait dû se traiter immédiatement. Plus la chose est importante, plus j'hésite... Je suis comme je suis, — ajouta-t-il, avec découragement.

Ils marchaient dans la beauté émouvante du jour. Le printemps triomphait encore une fois. Une sorte de gris d'argent, répandu, partout vibrant, se déposait sur les arbres encore dégarnis, sur les masses forestières, sur les glèbes. De l'argent *nué*, comme les fils d'or des broderies anciennes.

o

Elle réfléchissait. M. Georges sentait chez sa demi-sœur cette inflexion nouvelle, qui l'eût attaché sans une défiance incoercible. Plus le ton Chapelle; plus le ton Olmer, celui-ci parfois moins sec que l'autre, quand même... Le ton qu'un jour, peut-être, il appellerait « le ton Mary-Ann », et qui touchait. Plus qu'un ton d'égalité; quelque chose d'un peu étouffé, comme d'attendri...

— Oui, figure-toi, — reprit-elle, — que Mademoiselle Marie à qui j'allais porter des subsides pour l'école libre (qui ne s'en tire pas) m'a dit le contentement qu'elle avait à s'occúper de Madeleine. Pas un mot sur toi, mais, évidemment, elle n'ignore rien. Tu as fait une vraie folie en faisant tomber ton collier de barbe. Tu as signé. Mais c'est fait. Inutile de regretter.

« Moi-même, Georges, je perds certainement de ma liberté d'esprit. Je t'avais fait venir pour quelques demandes au sujet de l'usine, mais la vue de cette petite, de laquelle je m'étais obstinément écartée, m'a révélé soudain un problème bien plus grave que toutes ces histoires de machineries et de gros sous. Je t'en aurais sans doute parlé aussi, mais, maintenant, avec cette enfant dans l'esprit, il faut que nous nous comprenions, bien plus *délicatement*, comme tu dis.

Ils furent croisés par des bûcherons du domaine, qui les saluèrent avec amitié, comme si, de revoir M. Georges, leur faisait du bien. Il s'en aperçut à peine. Il était décidé à l'ajournement :

— Vois-tu Mary-Ann, si tu savais quel désir, quel besoin, j'ai de remettre l'explication, tu n'insisterais pas! Nous menons une vie de chiens depuis plusieurs semaines. *Tout le monde s'engueule!* Je me demande, vraiment, ce qui va finir par nous arriver. C'est comme les débuts d'une sale maladie. La vie semble devenir hostile, pénible, hargneuse. Cela avait fonctionné sans heurt durant bien des années, et subitement, la fêlure, l'usure. Il y avait quelque chose à quoi il ne fallait pas toucher, qui tenait encore. D'y avoir porté la main, tout se dérègle, devient dangereux... Une vieille maison qu'on ravaude; au premier coup de marteau, elle vous tombe dessus.

— Pour moi aussi, — fit-elle, sourdement.

— Qu'est-ce que t'a raconté la bavarde, la sécularisée, Sainte Pouffiasse, sur Madeleine?

— Eh bien, que la petite souffre profondément et de bien des choses difficiles à faire avouer; bien difficile à guérir. Sa mère, d'abord.

— Nous l'écartons. Une bonne fille, mais impos-

sible. Cependant, je ne puis la séparer complètement de son enfant. Si tu crois qu'elle m'amuse?

Madame Olmer le considéra avec attention. Il
s'en allait, les pans de l'écharpe se balançant, avec
ce pas court qui paraissait traînant et mou, mais
qui l'emmenait si loin : un pas élastique.

— Mais tu aimes la petite? — s'écria-t-elle, selon
sa coutume d'attaquer, de monter fermement à
l'assaut.

— Evidemment, évidemment...

— Tu ne l'aimes pas, alors! Je le pensais. Si tu
l'aimais, toi, Georges, tu répondrais autrement que
par un adverbe; par *deux* adverbes. L'adverbe,
qui paraît si net, est une affirmation fuyarde; c'est
un *diminutif*. Ce sont les fourberies du français.
Ah, que je préfère l'anglais!

— Et moi le latin! — fit M. Georges, avec feu.

— Laissons la linguistique... Donc tu n'aimes pas
Madeleine...

— Par exemple!...

— Et je sais pourquoi. Elle t'a toujours gêné.
Sa mère t'a lassé très vite, et je le comprends bien.
Mais sans que tu t'en doutes, tu vas renouveler
tout ce dont tu as souffert.

— Hein?

— Et en bien plus fort, car ici tu rencontres une
nature féminine, donc dix fois plus sensible, et
qui, en somme, n'aura pas ce dont tu pouvais te
flatter. Elle est inscrite sous le nom de son père
putatif, forcément?

— Forcément...

— C'est bien moins franc, bien moins loyal que les agissements de notre père à ton égard.

— Mais ce n'était pas du tout la même chose, pas du tout!!! — tonitrua M. Géorges, en frappant du pied : — Maman, ma mère à moi, réunissait finesse, tendresse, droiture... Enfin, ici, Louise, c'était Louise...

— C'est vite dit.

— Mais il y a un monde entre une jeune fille qui se donne pure et dans un sentiment exclusif, et une femme mariée, à un mari difficile et débile, c'est vrai, mais *mariée*, et qui... Assez, Mary-Ann. Zut!

Il transpirait, épongeait sa casquette d'amiral. Il reprit :

« Laisse-moi, je t'en prie. Tu comprends que je ne puis incriminer cette malheureuse Louise, même pour me défendre. Mais, vois-tu, que tu compares ma mère et celle de Madeleine, ah, j'en vois rouge!... Tu n'as pas connu Maman, autrement, tu jugerais...

— Pardonne, j'ai bientôt fini, Georges. Mais notre père était tellement brillant, tellement conquérant, qu'il trouvait naturel d'être aimé. Peut-être n'accordait-il pas à l'amour qu'on lui vouait une importance extraordinaire, précieuse. Il était sans doute blasé. Tu vois comme l'on peut se détacher d'un enfant né hors mariage.

M. Georges était « aux cent coups » Il se débattit avec violence.

— Rien à faire pour l'adopter, la reconnaître, puisque son père putatif était encore vivant à sa naissance.

— Mais, autrement, eût-elle bénéficié d'une

reconnaissance bien sincère? L'amour... disons le désir, — ratura-t-elle sur un geste de son frère, — était passé. Peut-être en était-il ainsi pour notre père; d'autant qu'il s'était marié avec ma mère dont tu te souviens, n'est-ce-pas?

— Oui, — fit sombrement M. Georges, — et elle aussi était bien belle et bien bonne... — avoua-t-il dans une sorte de spasme. — Jamais, d'elle, je n'ai rien eu à subir. Au contraire, mais au fond sa pitié m'était pénible aussi. Je reverrai toujours Madame Chapelle me remettant le gros œuf de Pâques de l'année 1890. Vous n'en aviez que des petits. Elle m'en apporta un, elle-même, du triple, comme à l'aîné... Et je vois le regard de notre père qui ne la quittait pas, et l'entourait de tendresse.

— Malgré sa vie irrégulière, notre père aimait ma mère.

— C'est vrai, — marmonna M. Georges; — et, en somme, je suis le seul qu'il ait reconnu.

— Tu crois qu'il avait eu d'autres enfants en dehors? — demanda Madame Olmer.

— Je le présume; j'ai eu en main son testament; des codicilles que votre subrogé tuteur eut la discrétion de tenir secrets. J'étais clerc de notaire... Notre père léguait des sommes importantes à plusieurs femmes, sans rien dire de plus, mais on peut en présumer...

— Tu vois donc, Georges, qu'à l'égard de ta mère, il avait agi avec autrement de générosité. Qu'il l'appréciait.

— Où veux-tu en venir, Mary-Ann?

— A ceci : que tu ne dois pas te montrer aussi sévère, au moins verbalement, pour notre père. Ta rancune contre lui m'a fait un mal physique. Je comprendrais bien mieux que tu la réservasses pour moi et mon frère, qui, après tout, pouvions être odieux...

— Et...?

— Et, puisque tu as souffert d'une situation fausse, je crois de mon devoir de te mettre en garde, afin de ne pas la renouveler. Je n'aurais pas été aussi loin, si la singulière ressemblance de Madeleine ne m'avait brusquement décidée. Voudrais-tu, si l'enfant s'anémie et s'inquiète...

— Mais de quoi, saperlotte? Elle est bien soignée, bien élevée, très bien élevée...

— Trop bien ou pas assez.

— Ah, Mary-Ann!...

— Sans que tu t'en rendes compte, tu vas recommencer avec elle ce qui fut tenté pour toi. Une pareille éducation religieuse n'est-elle pas une destination? ou une utilisation?...

— Je te jure!...

— Mais oui, tu es profondément honnête homme; mais il y a ta vie facile, et le flou où tu la laisses, à ton propre égard, cette vie. Tes souffrances, si éloquemment exprimées le Dimanche 20 Avril 1936, ne vas-tu pas les infliger encore à cette enfant? Regarde comme l'existence a des lois, des ornières. Tu recommences, Georges?

Il respira à fond, un instant, se fixa, puis :

— NON; ce n'est pas cela. Je crois, simplement et je suis, quoi que je fasse, chrétien et catholique, foncièrement; aux prises avec moi-même, et des observances difficiles... Enfin, glissons!... D'ailleurs, avec l'âge, tout cela s'atténue, tout cela se purifie. Je conviens que cette purification par faiblesse grandissante, n'est pas de premier ordre, mais peut-être que la prolongation de mes jours est une grâce accordée à mes malheureuses prières... J'aurais voulu que cette petite fût préservée des entraînements. Qu'elle eût une doctrine assez forte pour la garder. C'est une chose très belle de voir combien Gabrielle s'y applique. Je pense parfois à ces mères protestantes qui élèvent leurs enfants dans la religion catholique, avec une telle abnégation...

— Le meilleur enseignement, c'est l'exemple, Georges. Vous tentez une espèce de rachat. Vous donnez des gages. Vous prenez une assurance sur la vie, postérieure à la vie. Toi surtout, qui es croyant mais qui pèches par présomption en escomptant trop la bonté de Dieu; je me sers de ton vocabulaire.

— Tu es épouvantable, Mary-Ann! — il s'en écarta avec répulsion.

— Tu m'as ouvert enfin ton esprit; j'y veux mettre de la clarté. Je deviens ton comptable, à mon tour.

— Je n'ai jamais fait de comptes.

— Et tu vas à la ruine.

— Tant pis!...

— ...à la ruine, où tu entraînes cette petite. Je ne voulais que te parler de choses pratiques, de l'usine, de nos affranchis, mais la vue de l'enfant

m'a trop rappelé Yvonne. Il me semble que je
vois souffrir ma sœur. Madeleine ne peut rester
uniquement dans un milieu qu'elle commence à
juger. Cette petite ne trouvera pas un équilibre
chez vous.

— Avec sa mère, ce serait encore pis. Louise
doit mener une vie assez libre. Jules prendrait
même, peut-être, avec elle, sa revanche... Je n'ai
pas d'intelligence, mais du flair, moi aussi.

— Mets Madeleine en pension, aux *Oiseaux*
d'Orbec.

— C'est très cher.

— Je paierai.

— Ah non, pardon! Plus d'aumônes... Et puis
les vacances?

— Elle pourrait venir chez moi, à Paris. Si elle
présente de telles qualités, de tels dons, elle y trouverait de meilleurs maîtres que ton musicolâtre.

— Mais elle ne vivrait jamais avec toi! Elle a,
de toi, une peur bleue!... Tout ça se tassera... :
après tout, ce n'est que la fille de Louise Ray...

— Et tu ne l'aimes pas...

— Ah, — geignit M. Georges, au comble de la
détresse, — mais c'est abominable! Je croyais
l'aimer.

— Jusqu'à la gêne, exclusivement. Moins que
Coco.

— Enfin, je n'ai pas à soupeser mon degré de
tendresse; le dosage importe peu. Je dois me préoc-
cuper de mon degré de dévouement. Je suis prêt
à tout faire pour elle. Ça suffit.

— Sauf à mettre de l'ordre dans ta vie. A commencer par là. Ou dans celle des autres.

— Je suis censé ignorer qu'elle en fasse état.

— Plus maintenant, puisque je t'apprends le malaise de cette petite dont les yeux s'ouvrent aux réalités prosaïques de la vie, elle, dont vous avez voulu meubler l'esprit et le cœur de tant de poésie. La sécularisée, avec la discrétion louable et agaçante qui était de mise, m'a parlé de l'inquiétude de ta pupille. Quand Madeleine aura percé toutes les irrégularités qui l'entourent, à commencer par la sienne, quel choc! Mais dans quel sens? Affolement? indignation? dégoût? mépris? désespoir?

— Mary-Ann!

— Un mélange de tout cela. Le pire danger serait un reploiement désespéré dans la honte. S'il y a confidence, à qui sera-t-elle faite? Remarque bien, Georges, que j'improvise en marchant. Pas dans l'entourage : tous suspects. Pas à la grosse Mamzelle Marie, à la sécularisée, par pudeur. NON... Il est probable, certain, même, que le confident sera Dieu, et par la personne interposée du confesseur. Qui est le confesseur?

— Assez!

— Tu ne peux aller trouver le confesseur, ce sont des choses impossibles. Mais, moi, je le puis. Je puis lui exposer, sous les voiles convenables, la situation par rapport à l'enfant. La mettre en pension, en fait, ce ne serait pas, à ce moment, très possible, loin de la question coût, parce que Madeleine pourrait y trouver un accueil défavo-

rable. Des brimades, surtout depuis les cancanages. Les enfants sont féroces. L'hospitalité précaire que vous offrez doit être maintenue. Alors,
que lui conseillera son prêtre? De se dévouer, de
vous convertir, probablement. Vous serez jolis!
Avant le départ (je pars pour six mois), j'irai
trouver le doyen. C'est lui, sans doute :

— Ah, écoute, fiche-nous, mais fiche-nous la
paix!! La tutelle Chapelle est close. Reste dans ton
apanage. Fais des vœux mais pas des actes!

o

Ils entraient dans un Boncourt redevenu sei-
gneurial. Des massacres de cerfs ornaient le vestibule avec de belles armes. Les salons s'ouvraient
lumineux, attentifs. M. Georges sentait augmenter
son malaise. Sa sœur avait mis Boncourt au pas,
lui aussi.

Ils s'assirent dans un petit salon dont les lambris
dissimulaient un bar. Madame Olmer sortit des
alcools.

Elle reprit :

— Je t'avais fait venir pour te dire que je donne
quelque rémission à l'usine. Je repars chercher
Jacques et l'installer autrement. La scierie épuise-
ra ses contrats. J'ai reçu une très grosse demande
de contre-plaqué, en même temps que le sang de
bœuf, commandé il y a six mois, pour coller les
feuilles de bois, entre en livraison. Je donne un
répit à ma dérouleuse, à ma belle Suédoise. Mais,
après, on ne prend plus rien, et on débauche suivant les nécessités. Plus question de grève; ils ont

senti le récif, en fait de grève! J'ai été moi-même l'annoncer à l'usine. C'est revigorant, la haine sociale!

— Tu as été à l'usine?!

— Oui, avec la Bentley jusqu'à l'entrée du grand hall. J'ai été caresser la dérouleuse. Je m'occuperai de celui qui la mène; il a, pour elle, des attentions d'amant. Je veux te demander ton avis sur les gens qui resteront les derniers. Il y a un choix à faire dont je me sens incapable. Voici la liste. Tu porteras des notes, sous chaque nom : Merlin, Lecointre... etc, etc...

— Des notes?

— Oui, la note sera la concentration de ton jugement.

— Des notes, de 0 à 5?

— Mais non, de 0 à 20, c'est plus souple. Tiens, voilà la voiture et Madeleine. Pourquoi est-elle dans le fond?

— Pour me laisser la place.

— Je vais lui montrer Boncourt, transformé. Test!

o

M. Georges abasourdi, écœuré, n'avait d'autre envie que de fuir, mais, par un suprême effort, il se serait cru trop lâche de livrer Madeleine à sa sœur, pour cette promenade dans la maison. Il devinait le trouble de l'enfant, la timidité qui l'accablerait près de cette femme qu'elle redoutait tant, et qui, en réalité, était si redoutable pour les êtres moyens, les êtres de seconde zone, comme M. Georges et Madeleine.

De la promenade intérieure, se dégagea une singulière impression. Certainement, l'enfant avait quelque chose, souffrait de quelque chose, et de quelque chose de grave. Peut-être avait-elle reçu un mauvais accueil à la cité ouvrière? Elle semblait avoir pleuré... Elle portait, dans tout elle, la préoccupation d'un souci assez puissant pour en *oublier sa timidité*. Elle se montra fort singulière, dans sa façon simple, dégagée, comme indifférente. Pas une de ces petites mines d'enfance; de ces hésitations dites de bonne compagnie, pas un tortillement. Ah, les tortillements des timides!... Madeleine, interrogée, répondait avec une netteté comme indépendante d'elle. Elle aurait voulu plaire à la Patronne que c'eût été d'une habileté suprême. M. Georges finit par la considérer comme un être inconnu, nouveau. Pertroublé par les révélations, les exhortations de sa sœur, il osait à peine laisser ses regards étudier la jeune fille.

XI

MADAME OLMER surchargea la voiture de provisions et d'objets. Elle donna à Madeleine
un violon de maître, qu'elle avait rapporté
de Paris. Madeleine ne remercia qu'à peine. Elle
fut embrassée sans réaction sensible.

M. Georges, à demi replié sur son ventre, voyait
défiler le paysage avec fatigue et somnolence. Le
chauffeur conduisait distraitement, et dans une
sorte de gaieté secrète, équivoque. Ils ne dirent
pas un mot durant toute la route.

Comme Julot aidait à déballer en l'absence de
Gabrielle, et qu'il dégageait Madeleine à demi-ense-
velie sous les paquets : « Ne me touchez pas! »
s'écria-t-elle avec une violence nerveuse qui fit
sursauter le brigand. M. Georges le perçut vaguement, mais il était à bout de sensibilité et dormot-
tant. D'ailleurs Madeleine, redevenue calme, dé-
chargeait elle-même les cadeaux.

« Au secours, Notre-Dame de la Paix! Qu'on
ne nous bourre plus le crâne. Assez pour un jour!
ma sœur sera bien plus gênante encore dans son
affection que dans son dédain. Au diable! Sainte
Vierge... »

o

Les notes l'embarrassèrent désagréablement. De 0 à 20, quelle échelle mobile, dès qu'on s'arrêtait sur un barreau, sujette à scrupules pénibles! Merlin, le meilleur, son interlocuteur de la scène à Kersardine, fallait-il lui coller un 20? Un 20, la perfection, en somme... Hum!?.. On ne pouvait coller un 20 à personne, en fait; à personne qu'à Dieu. Quand il était enfant, M. Georges avait passé par les notes, mais moins délicatement, de 0 à 5. Un 5 semble plus facile à mériter qu'un 20. Le 5 reste relatif, moins implacable que ce sacré 20. Merlin méritait un 15. Et pourtant, il restait le moins mauvais de la bande, aussi bien au moral qu'au matériel. Il avait de la technique, de l'autorité, même une certaine finesse. Les cinq chiffres qui le séparaient de la perfection ne tenaient qu'à son mince bagage général, à son humanité défaillante. Bavard, siroteur et braconnier; aussi : 12.

Mais les notes demandées par Madame Olmer ne se rapportaient pas à une gradation dans l'absolu. S'il avait fallu noter la qualité complète de cet homme, il n'aurait après tout, mérité qu'un 10... Et même? Si l'on donnait 20 à André Tardieu (Tardieu avait jadis ébloui M. Georges), Merlin, à l'égard de Tardieu, mériterait-il plus d'un 5 ou d'un 6?

« Et alors, si je colle un 6 à Merlin, quelle note donner à Lecointre, qui boit? Et quelle note attribuer au délégué rouge? Mais ce que demande ma sœur, équitablement, d'ailleurs, c'est la cotation *relative* des ouvriers. Donner 20 à Merlin, c'est dire qu'il reste le meilleur, et coter les autres par rapport à ce 20, c'est indiquer leur valeur respective, à côté de celle de Merlin. En réalité, on devrait partir de 0 et monter vers le 20. Monter vers *le plus*, et employer aussi *au-dessous* de zéro, comme le thermomètre, pour les êtres nuisibles. Si je donnais 0 au délégué, je veux bien dire qu'il ne vaut rien. Pour le noter, je devrais lui donner *moins* dix, parce qu'il est *moins que rien*, *pire* : il est dangereux... »

De telle sorte qu'après avoir remanié plus de six fois ses indices et sa liste, M. Georges expédia à sa sœur, encore sur la côte d'Azur avant de prendre le bateau, un étrange document qui commençait par ce « chapeau » : « Je porte 20 à Merlin, mais en faisant remarquer qu'alors je donnerais *plus* 100 à André Tardieu, et *moins* 20 au délégué. J'ai ajouté un demi-point à certains dont les femmes ont du mérite et de la conduite. Un honnête ménage fait la plupart du temps un honnête ouvrier... et... »

Madame Olmer s'en amusa tout un jour, et répondit par télégramme qu'elle garderait tous ceux qui dépassaient 14 1/2...

« Ah », riait-elle, « la conscience de mon frère, quel singulier organisme!... »

XII

Singulier organisme, mais sensible, après avoir été réveillé de son indolent sommeil. La conscience de M. Georges, elle aussi, s'affinait, perdait de sa mollesse, de son adipeux. Six mois auparavant, les notes eussent été apposées en dix minutes; cette réflexion indiquait des préoccupations nouvelles.

Gabrielle s'inquiétait beaucoup de son maître, d'une certaine mélancolie de fond, encore animée de gaieté bourgeoise, mais dont elle sentait l'accroissement et la hantise. Hantise? trop gros mots. Cependant, M. Georges subissait les retours de l'idée fixe, incontestablement. Comme les autres, Gabrielle crut à des regrets de Boncourt. Mais la franchise avec laquelle, quand elle eut timidement tâté le terrain, M. Georges lui affirma son contentement de l'établissement nouveau, la rassura quelque peu.

Il y avait autre chose... Le souci des menaces? Cela se tassait, sauf en elle, qui restait anxieuse pour tout le monde. Samuel se calmait, comme si les grenades, en lui permettant l'action, lui en supprimaient le désir. Madeleine?...

14

C'était, en effet, Madeleine. M. Georges n'avait pas retrouvé, à son égard, ni son aisance ni son incuriosité. Par une reprise de ses souvenirs d'enfance, il tentait de pénétrer les sentiments de la jeune fille. Elle devenait femme, et très belle, très retenue; de plus en plus.

Il s'était produit un fait anormal qui avait laissé toute la maison en état de malaise. Ayant appris que sa mère devait passer huit jours à Kersardine, Madeleine avait secrètement prié M. Georges de remettre son invitation. Elle parla d'un examen qu'elle devait préparer et qui demandait toute son attention et son temps, mais elle l'avait fait avec une telle gaucherie, une souffrance si évidente, que M. Georges en restait fort troublé. Cette gêne, chez Madeleine... Cette gêne de le lui demander?!... Et puis cela avait été suivi d'une opposition formelle et vestimentaire. Elle ne voulait plus porter ces modes enfantines. Gabrielle, devinant une pudeur exaspérée, s'attela à faire descendre les courtes robes sur les genoux frais. Plus de chaussettes tendues; plus de bras offerts. D'ailleurs, Madeleine, parfois, la vousoyait, et le cœur sensible de l'autre s'en affectait beaucoup. C'était l'éloigner, ou s'éloigner.

Cela se compliqua par les jeûnes et les macérations de la jeune fille. Tous, foncièrement simples, regardaient l'appétit comme la marque d'une bonne santé morale et physique; comme un instrument indispensable. Et soudain, Madeleine refusa ses belles tartines du matin, ses grasses tartines beurrées, pour ne plus avaler que du pain sec. Elle

repoussait tout dessert. Elle refusait la barre de
chocolat du goûter. M. Georges était trop au courant des habitudes pieuses. Il y vit des « sacrifices ».
Pour qui? En faveur de qui?

o

Chose particulière, seul M. Maret semblait trouver grâce. La jeune fille l'écoutait avec une attention vraiment sincère, naturelle. Sans cette nuance
de politesse et de contrainte qu'elle paraissait
entretenir en s'adressant aux autres.

Plus un mot, jamais, à Jules, mais pas un mot!
« Cependant », songeait M. Georges, « si elle
SAIT, elle devrait aussi tenir rigueur à M. Maret? »

Mais il y avait, chez le musicien, une telle passion étrangère, une telle distance entre lui et les
voisins par ce seul fait que tout son être était
dominé par l'esprit, en somme, par une mystique,
en fin de compte, que cette enfant surchauffée et
en pleine croissance intellectuelle, lui faisait confiance. M. Maret avait *son art*, plus ou moins élevé,
mais qui l'emportait, comme, elle, son culte. Peut-
être aussi, que, plus subtilement, elle arrivait à
lui faire un mérite de son agnosticisme. Respectueux, mais ne pratiquant pas. Ne croyant pas, il
se montrait logique avec lui-même. Il était *moins
coupable* puisqu'il était *moins instruit*. Il avait
avoué, un jour, qu'il n'avait pas fait sa première
communion.

o

Gabrielle Renard crut, quelque temps, que Madeleine s'était prise d'un amour romanesque pour

son maître de musique. Elle en fut tourmentée, plus peut-être pour Samuel que pour l'enfant : on reste femme... Mais elle dut se convaincre que les leçons se passaient en dehors de tout attendrissement. Attentives, un peu moins impérieuses de la part du maëstro qui n'était pas sans pitié pour la petite, pour l'enfant nerveuse, mais à cent lieues de tout équivoque.

M. Georges surprit Gabrielle aux aguets, un soir, et cela déclencha entre eux deux une explication générale assez douloureuse.

Une de ces explications dont on sort quelque peu rompu, mais dans une confiance élargie, un renouveau d'affection quand on s'est tout dit et qu'on s'aime bien. Alors les nuées sont dissipées. On se réchauffe au bon vieux soleil des cœurs.

Ils avaient pris l'habitude de s'entendre moins qu'à demi-mot, et ils abordèrent des précisions ulcérantes. Gabrielle, d'abord détournée, avait fini par éteindre la lampe, et ils chuchotaient très bas, l'un contre l'autre, tandis qu'en haut, la petite Madeleine traînait la *Chanson Triste* de Duparc.

Il en découla qu'on allait la mettre, en effet, au pensionnat d'Orbec.

o

En réalité, hélas, c'était surtout la dépense qui avait retenu M. Georges. L'installation nouvelle, même faite avec les moyens du bord, s'était révélée fort onéreuse. D'autre part, jamais M. Georges n'avait connu le poids *entier* d'un entretien. La vie

augmentait chaque jour et la valeur d'achat de sa
rente baissait. Les expertises du début s'étaient
raréfiées. L'économie, avec les calomnies, devenait nécessaire, avant que la gêne ne survînt.
Quelque chose de touchant : M. Maret était venu
apporter avec joie une somme assez forte et qui
représentait certainement la moitié de ses gains
mensuels. M. Georges refusa, remettant à plus
tard, si besoin était, une participation qui n'avait
pas été comprise dans le « traité de Thibeauville »...
Que ce temps semblait lointain, dans son inso-
lence!

Maintenant, l'inquiétude les amalgamait, plus
que la joie.

M. Georges astiqua plus soigneusement encore
« la Panhard » qui allait l'emmener au pensionnat
d'Orbec. Il en prévoyait de la considération pour
l'enfant parmi ses compagnes, et même parmi ses
maîtresses. Il ne se rendait pas compte que la
moindre auto neuve et vernie comme une bottine,
eût fait plus d'effet que la douairière d'origine
illustre; mais sa connaissance rurale et ecclésiastique l'avertissait de ce que le sentiment d'une
certaine aisance, d'une protection d'argent, peut
apporter à une nouvelle élève, même chez les reli-
gieuses.

Les cuivres de la Panhard devinrent du pom-
ponne, de l'or!

M. Georges était fort anxieux. Il se sentait moins
gauche que jadis, où pareille démarche, avec ses
sous-entendus, dans ses embûches, l'aurait tellement agité qu'il l'eût remise aux calendes grecques,

par lâcheté intellectuelle; ses rencontres avec sa
sœur lui avaient donné un certain sens des répliques
difficiles. Il ne calerait pas.

Il n'eut qu'une faiblesse : allonger sa route et
passer tout au long de la ravissante petite ville. Se
donner le plaisir de la revoir dans son pittoresque
délicat. Mais il fut puni; il n'en sentit rien. Dès
l'entrée, il avait le regard accaparé par la grande
maison de brique des *Oiseaux*.

Il fit passer sa carte, cette carte qui lui semblait,
malgré la pointe de finesse acquise depuis dix-huit
mois, toujours une excellente ambassadrice... Ambassadrice? Il sourit mélancoliquement. M. Georges
Chapelle, malgré tant de titres, avait-il jamais été
quelqu'un? Même quelque chose? Rien ne resterait
de lui sur cette terre, sauf, peut-être, sa carte,
dans quelque tiroir, qui amuserait... Pas même sa
tombe, parce qu'il voulait qu'elle fût sans nom,
près de celle de sa mère. La pierre gravée eût, pour
des années, même sous ce climat d'érosion, sanc-
tionné la douloureuse naissance. M. Georges tenait
à reposer près de sa pauvre petite maman, mais
ne voulait pas prolonger son supplice. La conces-
sion était déjà payée.

o

Il rencontra une femme, une Supérieure admirable; d'une pénétration d'autant plus subtile que
rien ne le révélait sauf la suite et la direction des
propos; leur discrétion, aussi. Il était tenu sous le
feu des regards chauds, rapides, effleurants qui lui
rappelèrent les yeux de Gabrielle et le mirent en

confiance. Il ne fut détourné de tout dire que par
le sentiment que cette réserve était trop remarquable pour qu'on lui enlevât, par un langage en
clair, la plus grosse part de son mérite. Mais il se
sentit (et il en éprouvait une reconnaissance un
peu éperdue, balbutiante), il se sentit, si ce n'est
approuvé, en tout cas non méprisé; sa pauvreté
morale trouvait une indulgence complète dans cette
âme si haute. La Supérieure demeurait enjouée,
interrogeait avec un sourire, concluait avec bonne
humeur. Tout devenait simple, tout se montrait
facile. C'était la douce, l'ample, la merveilleuse
atmosphère chrétienne...

Il repartit à fond d'accélérateur sur Boncourt où
il avait chassé la veille et tué un sanglier. Racheta à
Julot la seconde gigue du « cochon » et rapporta
cette énorme cuisse à la communauté. D'expansion, mais aussi, avec préméditation. Dans le
monde ecclésiastique, le cadeau « des biens de la
terre » rappelle un peu la dîme, et dépasse sa
valeur. Puis, avec sérénité, il reprit le chemin de
Kersardine, dans un sentiment de paix extasié
qu'il connaissait jadis après les confessions. Une
allégresse qui le faisait cabrioler au sortir du pres-
bytère : « Je retrouverai cela, peut-être, un jour »,
se disait-il, avec effusion.

XIII

GABRIELLE, sachant la démarche, lui avait demandé de la déposer au bourg. Depuis quelques jours, malgré son dédain, sa vaillance physique, elle souffrait de vives douleurs au côté, parfois si aiguës qu'elle en avait le souffle coupé. C'était devenu tellement intense qu'elle avait demandé l'aide de la voiture, quoique, se cachant du maître, elle eût préféré descendre à pied. Mais elle avait raisonné juste; le souci de M. Georges ne lui laissa pas la liberté d'interroger la gouvernante sur ses commissions. Il la reprendrait au retour. Elle se rendit à la consultation du médecin.

o

Ce fut là, vraiment pour la première fois, qu'elle prit une conscience absolue de l'hostilité générale. Elle ne craignait pas les ennemis; elle était trop décidée, trop directe, pour ne pas en récolter, mais elle ne se doutait pas de cette réserve injurieuse et agressive qu'elle perçut autour d'elle; qui allait s'acharner sur elle et lentement la faire monter au pilori... Les bourgeoises qui attendaient s'écartèrent, firent bloc contre l'intruse, contre la femme-paria. Et si l'on avait jugé la plupart sur leurs vies secrètes, Seigneur!... Certaines, que, sans les connaître particulièrement, elle saluait par habitude de les rencontrer, l'ignorèrent et ne répondirent pas à son inclinaison de tête. Elle avait très rarement été chez les médecins, et attribua cette discrétion, cette gêne, aux souffrances qui amenaient chacun devant l'homme de l'art, l'homme au verdict. Mais très vite, elle comprit; on lui faisait l'épaule rouennaise. Elle avait si mal au flanc droit qu'elle n'en fut guère affectée. Après tout, mieux valait ne pas avoir de conversation à soutenir...

o

Quand, horriblement gênée, elle se fut dévêtue, allongée et que le jeune docteur, avec une douceur pénétrante, et une discrétion qui devenait une élégance, l'eut palpée; qu'elle eut, malgré sa retenue et la main qui l'effleurait, poussé un cri bref mais immédiat... quand il se redressa et l'enveloppa de son beau regard pensif et clair, elle comprit que c'était grave :

— Mais, Madame, vous avez l'appendicite; vous êtes en pleine crise d'appendicite!

Avec plus de précaution encore, il circonscrivit la place : sans aucun doute. Il demanda des détails :

— Il faudra vous faire opérer...

Opérer... Elle entendit un grand branle de cloches dans ses oreilles. L'opération, la clinique... Non, l'hôpital... Et le prix?... et le temps?... L'absence!

Madeleine s'en allait... Alors, qui aiderait, qui prendrait ses hommes en charge? La malignité générale lui revint, la malignité déclarée :

— Est-ce que c'est urgent, urgent?

Il reprit son inspection et ses sondages. Plus prévenue, elle sentit moins de douleur.

— Urgent? ce l'est toujours!...

Elle semblait si alarmée qu'il s'en inquiéta. Mais il ne pouvait lui conseiller rien d'autre. Elle descendit d'elle-même du sofa. Des souvenirs confus plaidaient. Elle demanda si l'on ne pouvait pas, avec de la glace, enrayer l'accès. Elle se souvint qu'elle avait déjà eu, moins fortes, de pareilles crises... Ne pouvait-on attendre? sa présence était si nécessaire à la maison.

— Jamais je ne vous le proposerais. Jadis, en effet, avec un repos absolu, la diète et des vessies de glace, on retardait. Mais c'est téméraire, et la médecine y renonce.

— Comment les mettre, ces vessies?

— De la glace sur l'abdomen, au côté droit. Mais vous allez attendre une voiture? Vous ne pouvez rentrer à pied!

— J'ai une voiture.

Elle régla, bien qu'il s'y refusait. Elle implora le secret.

— Je ne puis vous le promettre...

— Je vous en supplie, Docteur, je vous le demande!...

Il ne répondit pas. Quand il la vit marcher vers la porte sans gêne apparente, il haussa les épaules. Il préviendrait M. Georges qu'il avait rencontré à la chasse. Il était très bon; vraiment, ses malades comptaient pour lui, comme des amis en peine.

o

Elle s'installa chez le mercier qui connaissait M. Georges; envoya chercher de la glace à la boucherie, et monta délibérément en voiture quand son maître repassa, qui ne fit pas attention au gros paquet filtrant qu'elle transportait.

Elle demanda très humblement à Madeleine de l'aider, de la soulager, prétextant pour les autres un excès de fatigue. Elle venait de rebêcher les plates-bandes, et on le trouva presque naturel, d'autant que tous s'étaient indignés de ce travail supplémentaire. Le soir, elle s'enfermait et se bardait de glace, qu'elle fit venir par le laitier.

Madeleine se jeta littéralement sur la besogne, y mettant toute son ardeur, tous ses soins.

Le prochain départ pour Orbec avait d'ailleurs fait drame, l'annonce, qu'on ne pouvait guère différer, car la constitution du « trousseau » réclamait tous leurs soins. Madeleine avait semblé recevoir cela en plein cœur. Tournant sur elle-même, comme frappée mortellement... Elle avait supplié qu'on la gardât; qu'on voulût bien ne pas se débarrasser... Toute l'éloquence de M. Georges avait été inutile. Seul, Maret avait réussi à calmer cette grosse peine : Il donnait des leçons à la communauté; il la verrait tous les deux jours. Elle se devait d'acquérir en fréquentant de bons maîtres et des compagnes dignes d'elle. C'était à quelques kilomètres. Elle reviendrait le Dimanche. Ne pas

considérer cela comme une faveur insigne était
manquer de justice. Les premiers jours seraient
pénibles, mais, bientôt, il ne resterait plus que le
sentiment de s'instruire, de s'embellir, de se per-
fectionner.

M. Georges et Gabrielle, attentifs, émus, assistaient sans plus mot dire. Le musicien témoignait
d'une bonté, d'une sagesse que renforçaient son
ton calme, ses gestes mesurés.

— Il l'a *charmée*, — murmura M. Georges, pensivement, quand ils se retrouvèrent seuls... — c'est
un homme extraordinaire, par ce mélange, ces dou-
ceurs, ces rages, ces diversités...

Madeleine s'enferma avant le dîner et ne descendit pas, mais le lendemain, il n'en était plus
question; elle reprit sa coopération et ses soins
avec une manière nouvelle, comme allégée, comme
épurée, et une espèce de gaieté mélancolique.

Quand le médecin finit par rejoindre M. Georges,
Gabrielle était sur pied. Cinq nuits de glace et du
repos lui avaient rendu sa liberté physique. Sa souffrance n'était plus qu'une gêne mal définie. Madeleine ignorait tout de l'appendicite et M. Georges
n'en savait pas beaucoup plus, car, si quelque chose
l'avait laissé bien tranquille, durant sa chienne de
vie, c'était bien l'intestin : il eût digéré des clefs.
M. Samuel lui-même n'apporta pas grande attention à l'avertissement, car il lui fut seulement
transmis par M. Georges, et alors que la vive petite
femme était déjà sur pied, et courant partout.

TROISIÈME PARTIE

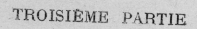

I

MAIS l'ACCIDENT sembla ouvrir une ère nouvelle, bien plus cruelle et qui allait consommer la défaite, jusqu'ici, de justesse évitée...

Un Mercredi matin, M. Georges fut prévenu qu'un incendie avait éclaté à Boncourt. Jules avait fait téléphoner à une maison voisine, et on accourut le réclamer à Kersardine. M. Georges était attendu. Que M. Georges fît au plus vite. Ce qu'on pouvait comprendre était vague; seul, le FEU! Il s'empressa auprès de la voiture, tandis que Gabrielle, très émue, ne parlait qu'à peine pour ne pas augmenter le trouble : attentat, à coup sûr...

La brave Panhard partit tout de suite; « au quart de tour », dit M. Georges avec reconnaissance.

— Téléphonez aussitôt... — insista Gabrielle.

— Je ne pourrai sans doute pas; n'aurai pas le temps. Descends au bourg, ou chez les Mintrot et téléphone toi-même.

Il partit. Oui, c'était connu, il possédait le plus antique permis de conduire de la Normandie, mais il en était demeuré aux épouvantables vitesses de

55 et 60; et, s'il réalisait son *double débrayage* avec
une perfection inégalable, il eût été refusé quant
au code de la route. Pour lui, comme pour trop
de chauffeurs, il comptait sur son habileté, sur
son coup d'œil; sur sa lenteur aussi, ce qui serait
licite si tous les autres conduisaient avec ces précautions. Il lui paraissait un peu puéril, un peu
nouveau venu, si ce n'est nouveau riche, de se plier
à ces stipulations.

Il partit un peu plus vite que d'habitude, et
quel que fût son respect pour la Panhard, son attachement au sang-froid (qu'il réclamait à grands
cris dès qu'il en manquait), il poussa un peu.
Monta la côte d'Orbec à grands coups d'engre-
nages, en seconde accélérée, et, par malheur, par
catastrophe, prit à gauche le brusque tournant qui
la couronne. A gauche! Son souci, son indifférence,
son habitude... *A gauche,* au lieu, par un large arc
de cercle, d'occuper sa droite. Un hasard néfaste
voulut que la voiture rapide et neuve d'un homme
jeune, d'un quincaillier en gros, roulât légitimement
sur cette gauche de M. Georges, sa droite à elle.
Elle s'apprêtait au virage en beauté, c'est-à-dire
mélangeant coup de frein et coup d'accélérateur
pour ne rien perdre.

Ah bien!... l'antique et robuste bagnole fit bloc,
et l'autre se broya dessus, littéralement...

L'homme criait de douleur, avec des éclats de
verre plein la figure; son petit garçon braillait
comme un porc, bien qu'il fût moins atteint. Et
M. Georges n'avait rien, rien, qu'un pare-brise en
morceaux et ses phares endommagés. Il restait

là, inerte, ahuri, « choqué », lamentable sur son siège et ses deux portières ouvertes du coup.

Alors, pris d'une colère rouge en face de cette inhibition, de cette stupeur qui pouvaient paraître de l'indifférence, fou de rage devant l'accident, un tel accident, si bête, si coupable, puisqu'il y avait faute lourde et inobservance patente des plus simples lois, l'automobiliste sinistré, ayant dégagé l'enfant, se retourna contre M. Georges et l'assaillit d'injures furibondes.

Ah, M. Georges pouvait bien répéter son habituel « Pardon, pardon » qui était sa parade déconcertée... L'autre, perdant tout contrôle en présence de cette fausse tranquillité, l'autre le boxa, boxa ce vieux serin dont la négligence venait de détruire sa jolie voiture et d'abîmer son garçon. Ses poings volèrent dans la figure de M. Georges qui n'eut même pas le réflexe du cri, et, déjà mis en infériorité physique par le drame, culbuta et tomba sur la route de l'autre côté, sa casquette d'amiral d'un bord et son écharpe d'Iris de l'autre.

L'accidenté ne fit même pas le tour, et traversant la voiture, il se rua sur le gisant, le bourrant de coups de pied n'importe où, comme l'on tape dans un sac, dans un ballon. C'était le chef de « rugby à quinze » d'Alençon, et le malheureux M. Georges, qui, sur le macadam, reprit conscience, qui tenta de résister (il n'était pas de ceux qu'on rosse à loisir), fut renvoyé à terre, et poussé à coups de souliers jusqu'au fossé; il se relevait à demi pour faire tête, mais il empoigna enfin un

15

coup en plein estomac qui le laissa knock-out sur le talus.

Des gens avaient jailli et finissaient par contraindre le forcené, d'ailleurs terrible à voir avec le sang qui lui dégoulinait de la face...

— Un vieillard, vous n'avez pas honte!...

— Oui, le vieux crétin!... Nous a démolis... Quand on est bête comme ça, on reste enfermé!...

Mais M. Georges se ranimait. Pour la première fois aux prises avec la vraie violence d'un homme, il n'acceptait pas, les poings à la parade. Le blessé échappa à ses mainteneurs, et se relança sur lui :

— Tiens vieux c!... Tiens, andouille!...

Et pan et pif encore!

Il fallut le lui arracher et ce fut une mêlée confuse d'une dizaine de personnes, tandis qu'au-dessus de la ferraille fumante, et des coussins, et des valises éparses, le char de M. Georges, son infrangible véhicule, dominait le champ de bataille, dans sa couleur aubergine et ses cuivres étincelants. La Panhard marchait encore, M. Georges, ayant bien mis au point mort, n'avait pas même eu le réflexe de couper l'allumage. Chaque combattant était entouré d'un groupe dense.

— Eh bien, eh bien !... — faisait-il, les yeux à demi-clos par les coups et saignant du nez; — j'ai plein de sang dans la bouche...

Des femmes lui rattachaient avec des épingles anglaises sa blouse jaune dont le dos lui pendait sur les jarrets. On le recoiffa de sa casquette bleue. Il se soutenait à peine : deux hommes l'empoignèrent : « Pissez, pissez tout de suite! » « Que je... »

— fit-il ahuri. Mais oui, mais oui, c'était l'usage,
le vieux chasseur n'ignorait pas le rite... Ces dames
se détournèrent. On le soutint car il vacillait...
L'agresseur s'occupait maintenant du gosse et il
lui en faisait faire autant, et lui-même, et les
spectateurs aussi, avec l'émotion, de telle sorte que
dix personnes fonctionnèrent dans un isolement
factice, tous les autres leur tournant le dos... On
rassit M. Georges avec le sentiment du devoir
accompli. Un mécanicien du bourg, monté en hâte,
arrêta enfin la voiture, mais se proposa pour porter les blessés jusqu'au chef-lieu. M. Georges ne
répondit que du geste. La Panhard emmena l'homme
et l'enfant, l'enfant étendu à l'arrière et qui geignait
très haut. M. Georges resta sur le talus de la
grand'route, entouré par une foule de bavards, en
face de la jolie Simca, de ses décombres; de la voiture sans capot, les roues cagneuses, et la carros-
serie en accordéon.

o

Tous le plaignaient bien haut d'avoir reçu une
pareille tripotée, mais lui, si sensible aux impondé-
rables de l'opinion, percevait cruellement qu'elle
n'était pas pour lui. Ses yeux, qui enflaient à
mesure que s'étanchaient ses narines, cette figure
tuméfiée intercédaient, mais il se jugeait impardonnable : il était, ah oui, *il était impardonnable!* Sa négligence aurait pu causer la mort
de deux personnes, échappées par miracle... Et
Boncourt, que devenait Boncourt? Pas question de
s'y faire conduire en cet état. Il demanda qu'on

voulût bien téléphoner, du restaurant tout proche...
à Boncourt... Mais, soudain, il poussa un cri de
détresse, un vrai cri, qui lui valut un regain d'intérêt. On crut à une lésion ouverte, à quelque rupture. On s'empressa....

Mais c'était moral; épouvanté, comme à la vue
d'un abîme, il venait de penser qu'il n'était plus
couvert par les assurances : IL N'ÉTAIT PLUS
ASSURÉ!!

o

Par amabilité, rondeur, on comprenait sa voiture dans les primes du domaine, mais, depuis un
an et demi, il n'y avait plus de domaine, et toutes
les assurances avaient été dénoncées. On l'en avait
averti, et il remettait toujours, distraitement. Pas
assuré!!... On crut qu'il se trouvait mal; de fait,
il se télescopa au bord du fossé, cette fois complètement à bout. Ah, Seigneur, il n'allait physiquement que trop bien! c'était l'épouvantable catastrophe pécuniaire qu'il computait, qui le sidérait.
Ah, si l'énergumène avait pu au moins lui briser
un bras, une jambe, lui crever un œil!... La commisération populaire ne signifiait plus rien... ne l'al-
légeait plus du tout... Combien??? des centaines
de mille!... La hantise des amendes, des provisions,
des indemnités lui éclatait sous le crâne. Il râlait
un peu, pris d'un essoufflement incoercible. Quatre
gaillards l'empoignèrent et le portèrent jusqu'au
restaurant. Peut-être ne s'en aperçut-il pas.

Pourtant, là, il reconnut des amis. On lui fit
boire tant que ça pouvait, vulnéraires sur vulné-

raires... « Non, c'est assez!... » Mais chacun y allait
de son préféré. Il but de l'eau-de-vie de cidre,
d'abord et bien entendu; puis du Byrrh, puis de
la Bénédictine, et enfin un demi-verre de Pernod
pur « d'avant-guerre », qui le laissa la bouche ouverte et suffoquant, incendié... Et Gabrielle, mon
Dieu, Gabrielle!... « Surtout », bafouilla-t-il, car sa
mâchoire restait ébranlée et sa langue pâteuse,
« surtout ne prévenez pas aux Rochers... » La
pauvre femme serait accourue, et dans quel état
l'aurait-elle ramassé, M. Georges. Son M. Georges,
piétiné, roué, et, trois fois hélas : RUINÉ. « Dans
une heure, deux heures, je reviendrai tout seul. »
Car, certainement, les coups n'avaient pas atteint
chez lui d'organes essentiels. On le prévint que le
feu venait d'être éteint à Boncourt et que les
dégâts étaient limités. « Bon, bon! » il restait sans
forces et à moitié gris. Dans les miroirs, il ne se
reconnut pas, avec cette face énorme et déjà vi-
neuse. Le médecin auscultait. « Ah, » songeait
M. Georges, « si j'avais quelque belle *lésion interne*! »
cette lésion qu'il trouvait si inquiétante à la lecture
des faits-divers; « ou une fracture à la base du
crâne... »

Le médecin le déshabilla dans la grande salle à
manger, entre les deux glaces immenses. M. Georges
se vit tout nu et rose, à cheval sur une chaise de
paille, et la tête bleue. Le toubib ne trouvait rien
de grave; des froissements, des ecchymoses, mais il
allait le reconduire, et M. Georges se coucherait.....

— Oui, je me coucherai... Non; je ne me coucherai pas!...

On vint chercher le docteur. Un couvreur venait de tomber d'un échafaudage, et une petite fille s'était grièvement brûlée. Il semblait à M. Georges que le monde allait finir et que son malheur entraînait celui de l'humanité.

Le médecin le confia au restaurateur, qui le confia à un maraîcher, lequel repassait par Kersardine, et qui ne partirait pas avant la demi-heure nécessaire pour retaper quelque peu M. Georges et l'imbiber encore.

o

Et ils s'en allèrent ainsi. M. Georges dans la voiture à âne, le visage lavé mais luisant de pommade sur sa couleur d'ardoise, sa blouse de toile toute tachée de sang. Ils firent sensation en traversant la bourgade au pas; les gens étaient sur les portes, ayant appris l'accident et bien trop amoureux du tragique pour se refuser à la contemplation. Au pas, car il fallait de la douceur; on ne sait jamais... M. Georges se réconfortait bien peu aux témoignages d'indignation qu'il soulevait grâce à sa pauvre mine. On arrêtait le bourricot. Quelques fournisseurs ne craignirent pas de lui déclarer leur compassion. Le pharmacien lui donna une fiole de *moisambrun*, remède étonnant, secret, familial, qui suffisait, disait-il, à empêcher tout dépôt sanguin. « C'est révoltant d'avoir mis un vieillard dans cet état, » entendait-on... « Quand ils verront la Simca », songeait M. Georges, « ils me plaindront moins. »

o

Ah, cette côte interminable, mais encore trop
brève. Et, au sommet, l'allée funéraire... M. Georges
tremblait à l'idée de l'arrivée. Qu'allait dire
Gabrielle, et surtout quel chagrin, quel désespoir,
d'être ainsi devant elle en si mauvaise, si sotte
posture, si accablante position; d'être *une victime coupable?*

Gabrielle avait obéi, téléphoné, et, rassurée sur
l'incendie elle attendit jusqu'à midi pour mettre
son rôti au four. Comme son maître ne rentrait
pas, elle pensa qu'il déjeunait là-bas, et, puisqu'elle
restait seule, elle mangerait sur le pouce, économi-
quement. Tout montait, et il fallait faire de plus
en plus attention. Assez désorientée de ne pas
avoir de ménage, elle s'assit sur le perron, bien
chaudement, pour prendre l'air et tricoter. Et c'est
là qu'à une heure, elle vit...

Elle vit une voiture à âne s'arrêter au bout des
épicéas funèbres, et, avec un choc au cœur terrible,
elle reconnut dans le personnage qui en descendait
péniblement, qui, tout courbé, congédiait le porteur, elle reconnut, et seulement à la silhouette
générale, son M. Georges!... Un accident, mais
pas si grave, puisqu'il marchait, qu'il agissait.
Mais il s'immobilisait, il s'appuyait sur le pilier de
la barrière, tandis qu'elle accourait, la main sur
le côté, car ses douleurs reprenaient parfois.

Elle ne l'avait reconnu qu'au costume, qu'à la
casquette, qu'à la tournure, le pauvre M. Georges,
car la figure faisait peur. Plus d'yeux, des fentes

entre des coques violettes, un nez énorme, et toute
la face gonflée...

o

Il dit tout, et la faute et le malheur, et le combat,
et, sans attendre, son épouvantable angoisse des
suites pécuniaires. Ces sortes d'affaires étaient
ruineuses, les tribunaux, ayant l'habitude de ne
taxer que des compagnies, y allaient fort et voyaient
grand. Les accidentés touchaient des indemnités
énormes. Et le tribunal ne changerait pas de
manière pour un simple particulier.

Elle n'en tint pas compte :

— Il faut faire appeler un médecin; l'état dans
lequel vous a mis ce sauvage, vous fera avoir des
dommages et intérêts à votre tour, qui diminue-
raient ceux que vous devriez payer.

— C'est déjà fait. Je n'ai rien ou pas grand'
chose...

Comme pour matérialiser leur peine, mettre en
évidence la réalité du cauchemar, le garagiste
revint avec la Panhard aux phares aplatis. La
bonne voiture, elle non plus, n'avait pas grand'
chose... L'homme était volubile et parlait avec
abondance des blessés. A la clinique, on avait tout
de suite fait des piqûres, la meilleure clinique de
la ville. M. Georges écoutait, tête basse, tandis que
la vaillante petite femme voulait gagner le chauffeur à leur cause, comme si cela eût pu avoir une
importance quelconque.

— Bien sûr, — répondait l'autre, — il a eu
tort; on ne tape pas comme ça. Mais M. Georges

n'avait pas respecté le code de la route... Rien à faire; l'autre aura des excuses et tous les automobilistes pour lui. D'autant plus que l'enfant a la jambe très abîmée...

Ils furent soudain environnés de monde. Tout le hameau était survenu, se grisait de tragique, à son tour. Mais Gabrielle tenait tête. Elle régla le chauffeur, première somme à sortir. Qu'il remmenât la voiture pour la réparer. Elle renvoya tout le monde avec des paroles brèves et coupantes, devinant la curiosité bien plus que la sympathie. Puis elle fit coucher M. Georges.

Quand il fut au lit, les larmes le prirent et il sanglota tandis qu'elle se détournait pour ne pas augmenter sa honte. Car il y avait cinquante pour cent de honte, dans son chagrin. Dans l'accident, s'agite un sens affreux de la maladresse, de la déveine accablante. Et, aujourd'hui, ceux qui n'ont pas de chance passent pour fautifs.

Elle devinait l'anxiété d'argent, l'oppression, l'idée noire.

— Nous avons bien trop de meubles, — dit-elle, nous ferons une vente. Tout le mobilier grimpe en flèche. Il y a aussi l'argenterie que Madame Olmer nous a abandonnée, et dont on ne sait que faire. Nous ne recevrons plus, d'ailleurs, de longtemps.

— On vendra la Panhard, — murmura M. Georges, — mais en tirera-t-on même de quoi régler les médecins?

Madeleine apparut tout courant. On venait seulement de lui annoncer le malheur et elle avait tout laissé pour remonter. Elle était blême, à genoux près du lit de M. Georges, les mains croisées, jointes sur le drap, épouvantant soudain Gabrielle d'une frayeur qu'elle n'avait pas encore ressentie aussi forte. La jeune fille avait l'air de se prosterner devant un lit de mort, un lit d'agonie. Et Gabrielle, les yeux élargis, contemplait le triste aspect du bonhomme au visage enflé, tavelé, et de cette enfant secouée de sanglots... Après tout, ce n'était que des contusions... Elle prit le pouls du blessé; la fièvre montait, suite naturelle, mais qui augmenta son trouble; et, à son tour, elle tomba à genoux :

— Prions, — fit Madeleine en s'enveloppant d'un signe de croix...

— Non, mais non! — grogna M. Georges; — non, c'est ridicule; je n'ai rien!... Enfin, rien!... c'est grotesque!! Va; relève-toi Madeleine. Non, Gabrielle!....

— Prions en tout cas pour remercier Dieu, Bon-Papa; vous auriez pu être tué. Prions pour remercier le Seigneur qui vous a préservé.

— Ah, — murmura le pauvre homme, — il aurait peut-être mieux valu...

Gabrielle entendit, sentit les larmes la gagner, et à haute voix, pour se reprendre, se joignit aux *Ave Maria* qu'égrenait Madeleine, tandis que M. Georges, pour une fois, lui dont la piété s'épanchait si facilement, crispait les poings sous ses couvertures... Enfin, il obtint d'être laissé seul, et les femmes se retirèrent.

o

L'après-midi fut horrible. Il faisait un de ces temps incertains, de demi-saison, tout chargés de nuages poussés par le Nordai. Brusquement froid et tout grisâtre. Une rechute de l'hiver, étonnant toutes les vies animales, qui, hier encore, s'agitaient dans un rayon de soleil et l'attente du renouveau. Rechute sifflante. Plus un chant d'oiseau. Rien que ce souffle de bise.

A la campagne, parfois, l'hostilité de l'atmosphère renforce le sentiment d'abandon jusqu'au dernier terme du malaise, quand elle agit sur un esprit découragé et sur un corps qui souffre. A la campagne, l'homme malheureux ou malade est la proie du silence et de la menace. Les nuées venant de la mer du Nord et de Picardie passaient sur Kersardine comme des serpillières.

o

Gabrielle envoya Madeleine chercher le médecin. Il fallait qu'elle se débarrassât d'elle pour garder son courage. L'enfant était anormalement émue, et son mysticisme prenait une forme inquiétante de désordre et d'oraisons. Mais la petite revint dans la voiture du gentil toubib.

Il entrait, saluant de droite et de gauche, émacié, agile et comme un peu craintif, lui qui n'eût pas modifié son diagnostic contre un membre de l'Académie de Médecine. Ses jolis yeux pâles se posaient partout, enregistraient... Il enveloppa d'un regard curieux l'étrange chambre pleine d'images

pieuses, zyeuta la grande bannière des Militants,
la Notre-Dame de Lourdes demi-grandeur, et
revint à son malade.

Il refit avec plus de facilité, avec une circonspection plus grande, l'examen succinct de l'auberge;
conclut à une courbature accidentelle, sans rien qui
fût vraiment grave, et ne s'inquiétait nullement de
la fièvre, du demi-délire où se débattait le bonhomme trop rudement secoué. Il était plus soucieux de l'appendicite de Gabrielle et l'engageait à
ne pas laisser traîner ça... Mais Gabrielle ouvrait
des mains désolées. Le docteur voyait-il dans quelle
situation ils allaient être?... Mais elle n'en dit pas
plus. Garder la face...

Jules arrivait. Le feu n'avait détruit qu'une
partie des communs, et l'on avait trouvé beaucoup
d'aide parmi la population. Jules semblait réellement affecté par l'accident de M. Georges; il fit
beaucoup de questions sur la Panhard.

Gabrielle monta prévenir son maître qui voulut
voir le chauffeur, mais comme elle redescendait,
elle s'immobilisa sur l'escalier. Madeleine prenait
à parti le mécanicien :

— Comment osez-vous revenir?...

— Mais.....

— Je suis au courant de tout, et si, l'autre jour,
je n'ai rien dit, c'est pour épargner M. Georges...
Déjà, avec moi...

Ils se turent, et quand elle apparut, la jeune
fille échauffée, rouge, lui darda des yeux pleins de
courroux. Elle était très belle. Julot semblait
embêté.

Gabrielle l'emmena :

— Qu'est-ce qu'il y a entre vous? — demanda-t-elle sévèrement.

Il haussa les épaules. Cette gosse-là finirait par les faire tourner tous en bourriques. Madame Olmer, pour peu qu'elle lui eût montré quelque considération, l'avait gâtée, net. Elle se croyait tout dû...

— Tu lui as manqué?

Il pouffa aigrement. Ça se croyait devenue princesse!.... Après tout, il l'avait vue haute comme ça et à peine torchée. Et sa mère faisait moins de chichis...

— Oui, je sais; toi et la mère...

— J'en vaux un autre, — fit-il avec férocité : — chacun pour soi; c'est ta devise...

o

Et cependant, il fut bouleversé par la vue du Patron. Il en tournait sa casquette dans ses mains comme un béjaune. Mais non, mais non, le feu n'avait pas de causes criminelles. On s'en prenait aux fils électriques trop vieux. A un court-circuit, il fallait « imputer le sinistre ».

Au fond il ne le pensait pas. Pour lui, comme pour tout le monde, les ouvriers congédiés avaient dû faire le coup, mais il ne voulait pas surexciter encore le pauvre M. Georges qui s'agitait vilainement.

— Il a été salement touché, — disait-il en redescendant, redevenu brave homme : — Moi, j'aurais pas confiance...

Et tandis que Madeleine, rigide comme une épée, l'attendait pour l'expulser, refermer les portes :

— T'sais, Mado, c'est pas le moment de se bouffer le nez!... Ça ne va pas fort là-haut. Faudra me faire téléphoner, et je viendrai de suite, si vous deviez veiller ou que vous ayez besoin.

— M. Maret suffira, — répondit Madeleine, sans le regarder.

— Ah, c'est vrai, *la Vache* lui jouera du cornet à piston, — répliqua Jules, reprenant sa hargne... — *La Vache*, ça suffit, en effet.

Et à Gabrielle :

« Tu vois, c'est pas moi qu'il faut disputer. J'tais aux petits soins... Serviteur à ces dames, j'me trotte...

o

Il y eut un lourd silence dans la pièce qu'il venait de quitter en faisant claquer la porte. Gabrielle était un peu prostrée. Enfin, à Madeleine :

— Peut-être n'aurais-tu pas dû te montrer aussi impérieuse, — fit-elle, avec hésitation, et sans lever les yeux du verre qu'elle fourbissait.

— Si, — répondit l'autre, fermement; — je regrette de vous le dire, mais si Monsieur Jules doit revenir souvent, je ne descendrai plus. Ne me demandez pas pourquoi; ce n'est pas mon secret.

— Je crois l'avoir deviné, — reprit Gabrielle à voix plus basse encore. — Tu t'es rendu compte, l'autre samedi, à Boncourt... Mais, ne faut-il pas pardonner bien des choses? Nous sommes malheureux, et c'est encore augmenter notre peine que de se monter ainsi....

— Il y en a à qui l'on ne pardonne pas; qu'on ne peut pardonner qu'en se faisant complice. Si nous sommes malheureux, c'est justice! Nous pourrions être encore bien plus châtiés. Que ne pensions-nous pas de Madame Olmer, et maintenant je sais qu'elle est bonne, mais droite...

Gabrielle lâcha son chiffon et laissa tomber ses mains sur son tablier :

— Elle est dure, Madeleine... Si elle s'était montrée plus affectueuse pour M. Georges, est-ce qu'il n'aurait pas été bien différent? Il s'est consolé comme il a pu, d'être abandonné. Il est tout cœur, Madeleine, et il fut tellement solitaire, sans personne... L'autre jour, il y a quelques mois, je ne t'ai pas tout dit; mais maintenant que tu sembles avoir appris tant de choses, et que tu parais tellement changée, mieux vaut que je ne cache rien. Son père l'a reconnu, et la famille en a toujours été mécontente; elle ne le cachait pas à M. Georges. Le père de M. Georges et sa mère n'étaient pas mariés. On l'a marié à une folle... à une folle, tu entends! et qui a duré vingt-six ans! Un autre se serait rendu libre, eût divorcé. Mais toi, tu sais bien que c'est une des plus sévères interdictions de la religion, et il s'est soumis... Il est resté seul, avec des parents qui le dédaignaient, des amis qui le raillaient. Il ne faut pas le condamner; un homme ne peut vivre sans tendresse....

Et elle reprit plus bas encore :

« Il ne faut pas jeter la pierre à celles qui l'ont aimé, un peu consolé... Qui se sont perdues peut-être pour lui... Parce que la première faute, Made-

leine, est bien grave : on en demeure épouvantée.
Puis l'on s'habitue; d'ailleurs, on se sent prise
entre son amour, sa conscience et sa pitié... on
tremble de faire trop de peine. On donne tout ce
qu'on a. Tu n'as pas encore aimé, ma petite fille,
et...

— Si, j'aime, — répliqua l'enfant : — J'aime!

Un grand froid au cœur fit pâlir Gabrielle. Elle
leva les yeux sur la jeune fille. La petite bouche
tremblait...

— Alors, — murmura la pauvre femme, — peut-
être devines-tu les faiblesses de celles qui aiment?

— NON. Celui que j'aime ne le saura jamais.

— Tu as à peine seize ans, et tu es très aidée par
ta piété, par ta foi religieuse.... Madeleine, toutes
n'ont pas connu un pareil secours. Tu disais qu'il
suffit de demander à Dieu sa protection pour qu'il
l'envoie. Ce n'est pas toujours ainsi que les choses
se passent. Il y a, en toi, des forces que certaines
n'ont jamais connues... les pauvres filles, comme
moi, comme d'autres auxquelles tu penses, et qui
n'ont point trouvé ces ressources de défense dans
leur sang. Et puis, toi qui es si pieuse, ne crois-tu
pas qu'il faut avoir de l'indulgence plus encore que
de la justice?

Elle se ressaisit un peu, et soupirant :

« Enfin, maintenant, après cet accident, la maison va devenir très lourde. Il se peut que M. Georges
ait encore bien plus besoin de secours, de secours
de toutes sortes. J'irai faire des journées, s'il le
faut, mais jamais je n'abandonnerai M. Georges.

— Comment, des journées?...

— Oui, l'accident va entraîner des sorties d'argent épouvantables. Va nous rendre pauvres. Peut-être que M. Georges aura maintenant bien plus besoin de nous, que nous de lui. Et, sans qu'il le sache....

— Alors, je n'irai pas à Orbec.

— Je pense que c'est devenu impossible. C'est bien plus de cela, de la perte, qu'il souffre, plus que de ses coups.

— O mon Dieu, nous travaillerons. Nous travaillerons! M. Maret veut fonder une chorale qui irait dans les paroisses pour les fêtes. Moi-même, bientôt, je pourrai donner des leçons et le seconder.

— Vois-tu, Madeleine, ne sois pas trop sévère. Rappelle-toi comme j'ai toujours pris soin de toi. J'ai fait ce que j'ai pu, Madeleine, *tout* ce que j'ai pu... Je ne suis pas grand'chose, mais, pour toi, je devenais meilleure. Aujourd'hui, vraiment, j'ai peur de toi. Ne sois pas trop dure!...

C'en était trop, les larmes la reprirent. Elles s'embrassèrent, et Madeleine, grave, presque maternelle, prodiguait les mots tendres à la femme éperdue.

o

M. Maret les revigora. Il revint un peu moins tard bien qu'il ne sût rien. Il monta immédiatement chez M. Georges. Celui-ci se débattait toujours sous la fièvre, mais l'homme du cirque en avait vu bien d'autres, et aussi l'homme de guerre. Dans quelques jours, il n'y paraîtrait plus, puisqu'il n'y avait rien de cassé et que le ventre n'avait pas souffert

ni le crâne. Les coups au visage, ça marque mais
ne compte pas. Le musicien était décidé, remuant,
solide, et quand elles le virent s'installer presque
gaiement au chevet du malade, les femmes se
sentirent un peu soulagées de leur angoisse. A son
tour, il devenait le protecteur.

II

M. GEORGES fit donc réparer la voiture et la vendit. Ce fut l'avertissement de tout ce qu'il aurait bientôt à souffrir. Il n'aurait pas dû la reprendre à la maison après la remise en état. Il lui fit sa dernière toilette, moteur nettoyé à l'essence et cuivres astiqués miroir. Il se sentait le cœur gros. Que nous sommes niais, c'est nous-mêmes et notre vieillissement que nous pleurons avec les choses qui nous quittent! Non, pas tout à fait. La complexité des voitures les rend comme vivantes, et celle-ci ne l'avait que bien servi; elle avait accompagné ses modestes joies; il gardait la fierté de sa réputation. Le respect de l'acheteur admirant ses robustes organes lui prouvait qu'il n'avait pas tort.

Mais quand il eut reçu la pincée de billets, et que l'acquéreur se mit gauchement au volant, il avait la gorge serrée. La voiture, mal embrayée, vira, s'engagea dans l'allée saturnienne, ne lui montrant plus que son vaste derrière. Il la revit encore de profil, quand elle tourna. Il se sentit vraiment malheureux; et pour longtemps. Atteint dans sa bonhomie, dans son honorabilité. Il renvoyait son plus fidèle personnel. La brave bagnole tombait aux mains d'un rustre qui la brutaliserait. Elle l'attendrait, sale, ternie, boueuse, devant les caboulots à maquignons. Et M. Georges était à pied, dépourvu. Depuis quelques mois, on ne sortait guère la voiture qu'en cas de réelle nécessité, mais elle *était là*. La voiture lui donnait encore apparence de châtelain. Son isolement était atténué par la voiture. Il bénéficiait de ses possibilités. Maintenant, il était devenu le prolétaire rural, comme il l'avait dit à sa sœur. Dieu l'avait exaucé. Il ne faut pas tenter Dieu.

Il voulut rentrer pour retrouver Gabrielle et reprendre confiance, mais la petite femme s'était cachée afin de ne pas voir partir la voiture. Quand elle parut, elle parlait vite, vite, pour donner le change.

Ils s'approuvèrent silencieusement, et il dit en haussant les épaules :

— Ah, elle était quand même sur l'âge... Il lui aurait fallu une révision... N'y pensons plus!...

Ne plus y penser, panacée, antidote universel, mais la voiture ne le permit pas. On la retrouvait partout, à chaque sortie. Son acheteur était placier. Elle attendait, en effet, déchue... Elle attendait, obsédante.

o

Le procès fut terrible, car il y eut procès. Mal conseillé, mal secondé par un avoué optimiste et bien pensant, qui voulait faire état de la bagarre et obtenir une indemnité pour sévices et voies de fait, M. Georges se laissa attaquer au lieu de s'arranger à l'amiable. Il est vrai que les exigences du plaignant dépassaient son droit. Il ne lui restait que quelques légères cicatrices. Le quincaillier avait engagé un avocat de gauche, âpre et jeune, et qui se montra d'une véhémence, d'une raillerie si cruelles que M. Georges n'avait qu'une envie, celle de fuir et de se terrer, quand il était rivé à son banc par décence et courage. Il dut tout avaler.

Qu'on le représentât comme une ganache, un danger public, passe encore, c'était dans les choses attendues, mais l'avocat l'écrasa sous les sarcasmes et les calomnies.

« Le type même du réactionnaire », proclamait le recors; « vaniteux et nonchalant, inutile au dernier terme, le parasite, tout juste bon à présider des Sociétés de chasse, à perdre son temps et celui des autres. L'homme qui se vautre dans les facilités paternelles, ayant même renoncé à suivre les voies tracées par l'activité d'un brasseur d'affaires dont tous savaient les exactions anciennes, mais qui avait au moins prouvé son énergie. Ici, le sieur Chapelle avait tout lâché de ce qui aurait pu le faire servir à quelque chose. »

La salle d'audience était comble. Dans la partie du public, plusieurs ouvriers de la scierie ricanaient. Le président fronçait les sourcils; malgré tout choqué et sensible à la tenue, à l'âge du malheureux qu'on torturait verbalement. Mais l'avocat s'en donnait à cœur joie, dans une causticité ardente et corrosive. Oui, le sieur Chapelle avait abandonné les usines qu'il aurait dû avant tout préserver, maintenir... Et pourquoi les avait-il laissé péricliter? Pour mener une vie qui faisait scandale, dans une licence sans frein qui n'était plus de la liberté mais du libertinage, du plus éhonté, auquel l'âge n'apportait même pas son atténuation. Braver le ridicule, restait le dernier courage, le dernier cynisme de ce vieillard qui n'avait pas encore la triste excuse de l'enfance. A soixante-trois ans, on sait ce qu'on fait! Mépris pour tous et de tout. Mépris pour la morale comme pour les lois les plus simples, les plus faciles. Voilà : Monsieur tourne à gauche, parce que Monsieur se sent privilégié. Monsieur ne veut pas faire comme tout le monde. Monsieur est plein de dédain pour les braves commerçants qui se plient aux règlements démocratiques. C'est déjà une rébellion de prendre ainsi le côté défendu. M. Chapelle de Boncourt n'était qu'un ci-devant, tout gonflé de sa caste...

« Aucune considération d'indulgence ne devait entraver le tribunal dans sa juste sévérité. Les dommages à verser, auxquels M. Chapelle se refusait, ne devaient subir aucune amputation. Que ce fût lourd; que cela portât atteinte à son crédit, à son bien-être, tant mieux! La morale y gagnerait, puisque ce piètre rentier faisait un tel usage de ses rentes. Le tribunal ferait œuvre pie en dissociant ce phalanstère honteux, cette nichée injurieuse pour la dignité publique, dont tous savaient les promiscuités navrantes... Ce n'était pas de l'indulgence qu'il fallait avoir, car l'indulgence ainsi appliquée corrompait et compromettrait. »

Et, ici, intervint le morceau fameux, qu'on s'arracha plus tard :

« Le père avait été marchand d'esclaves, et le fils durant toute sa vie, lui aussi, n'avait connu que la traite; ah, je ne dis pas les traites, que si souvent il a protestées; je ne dis pas celle des étables, qu'il faisait exécuter par des malheureuses qu'il avilissait encore : je parle d'une autre traite, la plus hideuse, celle qu'on ne peut nommer dans cette auguste enceinte... Un jour, l'on saura jusqu'où purent aller une salacité et un goût du vice, sous l'hypocrisie et le plus déshonorant paternalisme... »

o

Le jugement fut remis à huitaine, mais M. Georges était déjà condamné. Condamné à mort! Il n'y voyait plus; l'huissier dut le soutenir pour le confier à la poigne de M. Maret qui avait tenu à ne pas le quitter. M. Georges s'effondra dans les bras du musicien. Celui-ci l'assit sur un des bancs de la place et le tint serré contre lui. Des ouvriers sortirent qui les raillèrent :

— Vous êtes des lâches, — proféra le musicien de sa voix tonnante : — Je vous photographie dans mon souvenir! Je vous retrouverai, un par un ou tous ensemble. Ce jour-là, vous pleurerez des larmes de sang!!...

Les parias furent rejoints par deux amis fidèles, le curé Meslay et le jeune docteur qui l'avait amené en voiture. Le prêtre et le médecin bien connus modifièrent un peu l'opinion actuelle, l'opinion

toute fraîche. L'abbé avait des épaules et du cœur,
et le médecin était aimé. M. Maret leur souffla :
« Restez avec lui, voulez-vous, j'en ai pour dix
minutes... » Cela les surprit, mais ils savaient l'originalité du musicien.

« Nous sommes venus vous chercher pour vous
éviter le chemin de fer, — fit le médecin, — et l'abbé
a tenu à en être.

— Je suis écrasé, roué, à bout... — marmonnait
M. Georges qui ne se remettait pas.

Ils firent monter le condamné dans la voiture
pour lui éviter la curiosité, la curiosité qui s'attar-
dait, et ils se rangèrent dans le coin de la place.
La prostration de la victime faisait mal.

Le musicien revint tout courant, mais certainement joyeux :

— J'avais une course urgente... Je vous demande pardon; une minute encore! M. Georges
donnez-moi une de vos cartes?... J'en manque.
Votre stylo, docteur?

Et, ayant retourné la fameuse annonce, il écri-
vit au dos son nom en grandes majuscules, avec
l'adresse, et galopa en brandissant le faux bristol.

Le prêtre et le médecin se regardèrent, encore
inhabitués à ces gens-là.

M. Maret revint, paisible, cette fois :

— Partons, — fit-il avec bonne humeur.

Comme on l'interrogeait : « Ce sont des affaires
d'homme; d'homme qui sait vivre », — répartit-il
gaiement.

On ne comprit pas bien...

o

On ne comprit que plus tard. Tout en soutenant son bonhomme et en invectivant les ennemis, M. Maret surveillait la place; il n'avait pas quitté de l'œil la porte du prétoire, et dès la sortie de l'avocat, ne l'avait plus lâché. Aussitôt libre, il courut après, si bien qu'au moment où le quincaillier et le jeune maître entraient au café pour fêter la plaidoirie, parut le musicien. Ils n'étaient qu'à peine installés que M. Maret se dressait devant le brillant chafouin, et, avec ses grands airs, s'inclinant :

— Je suis un humble ami de Monsieur Chapelle, mon cher maître... Je viens vous demander raison des accusations que vous n'avez pas craint de porter sur son compte.

— Monsieur, — fit l'autre inquiet du mouvement spasmodique d'un pareil menton, et impressionné par la carrure, — seule ma conscience en est responsable...

— Alors, Monsieur, voici pour elle; transmettez-le lui avec mes compliments....

Zou! Vlan!!

Et le musicien, dont la vigueur acrobatique était redoutable, lui avait envoyé, par-dessus les verres, deux gifles à disjoindre les vertèbres.

Le quincaillier, l'athlète de rugby, s'était mis en devoir de défendre à son tour son porte-parole, mais il avait affaire à un homme qui pratiquait la boxe, et il ne pouvait ici se servir de ses pieds. Il fut mouché net d'un direct bien placé, et tandis

qu'on intervenait, M. Maret reprenait son sang-
froid et sa courtoisie, devant tout le café qui s'amu-
sait bien :

— Je suis prêt, Messieurs, à vous donner toutes
les réparations que vous demanderez... Je cours
chercher ma carte, mais je reviens, oh, je reviens!
Faites-moi suivre si vous voulez.

Quand il reparut, ce fut tout juste s'il ne se vit
accueilli par une ovation. Mais il s'en fichait,
et fourra sous le nez abîmé le carton large comme
la main.

On le sut six jours après par le journal de gauche
qui vitupérait le *bravo*, le *spadassin*, le *bandit à
la solde* — et par l'assignation.

III

M. Georges avait assuré Gabrielle que tout ce qui entrait dans la maison lui appartiendrait après sa mort. Gabrielle s'était laissé combler mais en exigeant de ne recevoir que la moitié; le reste, pour Madeleine. M. Georges y avait consenti, mais cela l'agaçait sourdement. N'aurait-il pas assez fait en donnant à l'enfant une bonne éducation, et en la retirant du milieu où elle eût été appelée à vivre? Gabrielle n'en avait pas démordu, et finalement, cela représentait une petite fortune, d'autant qu'il existait quelques bijoux, jadis offerts à la mère de M. Georges par le père Chapelle, dont les pierres avaient quintuplé.

Gabrielle n'hésita pas une seconde, et s'arrangerait pour vendre sa part. Déjà elle commençait les estimations et ses remises en état, avec cette rapidité d'action qui lui était personnelle, et qui ennuyait parfois M. Georges. Il finissait par craindre qu'une parole distraite ne déclenchât chez la vaillante petite femme une tempête d'activité.

Mais, cette fois, il ne s'en aperçut pas. La séance du tribunal l'avait jeté dans un désespoir dont il ne remontait plus. Quoique ne souffrant guère, il était bien plus bas moralement qu'après l'accident et la rossée.

L'article du journal, que trois mains méchantes lui firent parvenir encadré de crayons de couleurs, lui avait porté les derniers coups. Cette dignité si jalousement gardée, si habilement maintenue, succombait sous l'assaut public. Il devinait la feuille adverse dans toutes les poches. Il avait interrompu sa promenade sacro-sainte, celle qu'il accomplissait par tous les temps, minimisant la pluie ou le froid, faisant le dédaigneux ou le jeune homme alors que ses femmes s'empressaient à le barder de vêtements... Il ne bougeait plus de sa chambre, regardant mélancoliquement le coin de vallée qu'il voyait et les nuages qui encombraient le ciel. Il ne sortait qu'à la nuit établie, et comme le printemps venait, il sortait après le dîner, ce qui augmentait le souci de Gabrielle et de Madeleine. Madeleine obtint plusieurs fois la faveur de l'accompagner, et cela était peu agréable au bonhomme. Ils marchaient dans l'obscurité, suivis par Coco, stoppés par lui. M. Georges ne parlait pas, et songeait. Il ne pensait qu'à son malheur.

La somme à payer leur parut moins exorbitante. Cela les ruinait, et dépassait du quadruple tout ce qui leur restait, mais, à force d'y penser, ils avaient fini par imaginer qu'on leur réclamerait des millions. Le tribunal n'avait pas tant apprécié la plaidoirie que les auditeurs, et se souvenait de la roulée : le quincaillier s'était en partie payé sur la bête. L'avoué clérical revint pour pousser à l'appel, mais Gabrielle refusa net en prenant la conduite

des opérations. Ils n'avaient rien à gagner en attendant. Ils paieraient. Qu'on leur accordât un peu de
temps. C'était cela : un délai, ou rien, car, en
somme, tout avait été mis à son nom. « Nous n'arriverons jamais, » murmurait M. Georges. — « SI! »

o

M. Maret ne *buvait plus*. Oui, un tel miracle
s'était accompli; il avait réussi une telle réforme.
Il rapportait tous ses gains à la maison; quand il
s'était laissé aller à un p'tit vin blanc, il le confes-
sait avec des mines de criminel.

Un soir, il entreprit M. Georges :

— Vous vous exagérez le tort fait à votre réputation, mon cher Monsieur Georges; à votre popula-
rité, dirais-je plutôt; car votre réputation n'a jamais réellement souffert [toujours ces termes aisés
et choisis]. Les gens me parlent souvent de vous,
avec commisération, certes, mais plus encore avec
estime, sympathie. Une preuve palpable de leurs
favorables dispositions, ce sont mes nouveaux
élèves, ces élèves qui croissent et croissent encore.
Je sens autour de moi une considération nouvelle.
Les gifles dont j'ai récompensé l'avocat du quincaillier et que le journal a mises en valeur, me pro-
curent une amabilité renouvelée. Or, écoutez-moi
bien : si j'avais été le champion d'une mauvaise
cause, j'en aurais encouru la réprobation, au lieu
d'en bénéficier. On ne m'en parle pas, mais à la
façon dont on m'accueille, je devine l'assentiment,
l'approbation joyeuse. Certains m'ont, dès le début,
mis bien mal à l'aise avec leurs éloges, mais un acte

aussi simple ne peut *me* rapporter de tels encoura-
gements sans qu'ils *vous* atteignent; sans que derrière moi, on vous mette en cause. Tout le monde
m'est reconnaissant de vous avoir quelque peu
vengé.

Évidemment, de la gifle, Gabrielle et Madeleine
en avaient été bouleversées, sanglotantes d'admiration, d'action de grâces. M. Maret s'était grandi
au-delà de toutes proportions; il devenait le féal,
le paladin. Roland, Bayard, le chevalier d'Assas!...
Un acte viril, dans cette époque basse où tant de
compromissions sont admises, redonne du tonus à
toute une maison, à toute une société. La gifle fait
propre.

Et la trouille de l'avocat qui avait déposé une
plainte au lieu d'aller sur le terrain comme par deux
fois l'avait proposé son dompteur, ajoutait au
renom.

— Que voulez-vous qu'on me fasse? — riait le
musicien : — je n'ai pas de domicile, et, comme
meuble, je ne possède que ma bécane; et encore est-
elle au nom de M. Georges : il pouvait me tirer du
sang, mais de l'argent, nib!

Les femmes en devenaient enivrées. Julot lui-
même, du coup, en avait acheté une conduite.
Il cherchait les occasions de rendre service, et Madeleine, illuminée dans son dévouement, se détendait.

o

D'ailleurs, si M. Georges n'eût pas été obnubilé
par sa honte, il aurait pu saisir quelque chose de
très particulier qui agissait en sa faveur. Ce compte

rendu du journal de gauche, au lieu d'augmenter le
mépris général, l'avait au contraire, et en partie,
effacé. Il venait de mettre le « scandale Chapelle »
sur le plan politique. Le clan bourgeois réagissait.
C'était une feuille méprisée des gens bien pensants;
et tout devenait discutable, même dans ses termes,
et pouvait révolter. C'eût été bien plus toxique,
s'il n'y avait eu que des ragots, des allusions, des
plaisanteries; cela aurait pu paraître vrai, tandis
qu'on voyait l'expression de la haine, une volonté
d'accabler, derrière un homme, tout un parti. Les
adversaires politiques faisaient depuis longtemps
des gorges chaudes avec tout cela, que leur cynisme
augmentait encore. Les autres prenaient alors le
contre-pied.

De sorte qu'il arriva cette anomalie : l'article du
journal qui semblait à M. Georges le sceau mis à
son déshonneur, lui rendit presque tous ses parti-
sans...

Mais, quant à s'en apercevoir, qu'il en était
loin! Si malgré ses dérobades, il rencontrait quelqu'un, il prenait pour de la raillerie, ou pis encore,
pour une complicité — une complicité paillarde —
la bonhomie de l'interlocuteur ou la chaleur anor-
male de sa poignée de main.

o

Après l'accident, il était resté au secret et n'avait
pu reparaître à l'église que dix jours plus tard,
juste ce qu'il fallait pour le rendre intéressant. A la
suite du réquisitoire, le drame fut réellement très
pénible, bien plus qu'on ne pouvait le présumer.

— Aller à la messe, et dans mon banc? — gémissait le pauvre homme; — me présenter devant tous avec une pareille honte sur la face?... Être en butte à tous les regards allumés...

— Eh bien, n'y allez pas, — disait Gabrielle; — n'en avez-vous pas assez entendu dans votre jeunesse? Et vous n'êtes pas très solide encore. Avec les premières chaleurs du dehors, l'intérieur de l'église est froid comme la tombe.

— C'est la messe, Gabrielle; l'abandonner, c'est vraiment changer de camp. Renoncer à tout ce qui est chrétien. C'est encore pécher contre l'esprit. Je dois aller à la messe... J'irai, mais je resterai dans le fond.

— Ça non, Monsieur Georges!... Pas admissible! Mieux vaut rien! Vous auriez l'air de prendre à votre charge, de ratifier tout ce qu'on a pu inventer, toutes les clabauderies. Il faut garder votre rang, et, si vous y allez, occuper votre place ordinaire. Mais attendez deux ou trois Dimanches. Les élections arrivent, et on ne s'occupera plus de nous.

— Non, — fit-il, en agitant la tête : — je dois aller à la messe; je n'y ai jamais manqué de propos délibéré.

Et soudain Madeleine sortit de son mutisme. Elle considérait le vieil homme avec ses beaux yeux que son émaciement élargissait encore :

— Oui, il *faut* y aller, Bon-Papa. Le service de Dieu n'a pas à compter avec le service des hommes. IL FAUT y aller. Tous, nous en souffrirons, mais nous serons à vos côtés. Nous irons tous à la messe, dans votre banc... C'est une épreuve que Dieu nous envoie, surtout à vous, mais, de toutes nos âmes, nous serons près de vous...

— Mon enfant!...

Il subissait encore cette gêne, ce malaise qui venait d'elle, de ce quelque chose d'étranger et d'absolu qu'il supportait mal, mais que, maintenant, il finissait par admettre, par considérer comme licite, comme personnel à cette petite prosélyte.

Il se leva, décidé : « Nous irons tous à la messe, Dimanche. »

— Cependant, — insista Gabrielle qui était plus simple, plus pratique, et redoutait pour son maître les cruautés de l'idée fixe et cette torpeur qui le prenait après ses hochements de tête et ses regards au loin, — cependant, vous pourriez aller entendre la messe à Saint-Pierre du Mesnil, où vous êtes moins connu. Là, vous pourriez rester dans le bas, près du bénitier, en arrivant un peu en retard. Vous marchez si bien...

Madeleine ne dit rien, mais elle retenait son souffle, toute droite, appuyée contre la muraille. Gabrielle avait fait sa proposition naturellement, ingénument. Elle continua :

« Ça vous ferait une bonne promenade et vous auriez faim au retour, pour une fois.

— Non, j'irai à la paroisse; — fit-il, après s'être croisé les bras; — je n'ai que ce que je mérite, — ajouta-t-il presque imperceptiblement.

Gabrielle haussa affectueusement les épaules et recompta les points de son tricot — on acceptait des commandes de pull-overs — tout fait ventre —.

Elle n'avait peut-être pas entendu. Mais Madeleine saisit une des mains dénouées du bonhomme, et la baisa doucement, secrètement. M. Georges eut vers elle un regard qui rencontra les yeux passionnés de la jeune fille. Il l'attira et l'embrassa sur les cheveux. Gabrielle leva un instant la tête et revint à son ouvrage.

o

— M. Maret, êtes-vous pris Dimanche?

Le musicien qui accordait son violon avec cette distraction et cette incertitude d'une pratique supérieure, inclina la tête.

Madeleine reprit :

— Vous ne pourriez pas vous faire remplacer?

— Pas facile....

— Cependant, il le faudrait... Pour M. Georges.

— Alors, je vais m'en occuper. Après tout, la grosse mère Marie arrivera bien à entonner. Il a besoin de moi?

— Il souffre beaucoup de paraître à la messe, Dimanche, par crainte, sans doute, de quelque humiliation publique. Nous serions tous autour de lui.

— Il n'a qu'à ne pas y aller, — fit simplement le musicien en tournant ses clefs; — attendre quelques semaines...

Ah, le même jugement, presque les mêmes mots que Gabrielle. Comme ils étaient liés!

— Mais c'est très grave pour un catholique de manquer sa messe.

— Quand les circonstances sont là...

— Vous ne trouvez pas qu'il est beau de sa part

de passer sur son malaise pour accomplir son devoir?

— C'est très bien, mais si cela l'agite par trop? Si cela le rendait à nouveau malade, mieux vaudrait pas. Enfin, j'irai si vous voulez.

Il s'arrêta, violon à l'épaule.

« Cependant, — précisa-t-il, — je ne crois pas que nous devions nous y rendre en corps constitué, voyez-vous, Madeleine. Ce serait nettement ostentatoire; cela paraîtrait une manifestation préméditée... de manière à donner le change...

— Ah, — fit-elle, frappée.

— Oui, en y réfléchissant. J'estime qu'il vaut mieux qu'il paraisse entre vous deux, comme d'habitude... tout normalement. Cela veut dire que rien de grave ne s'est passé, que nous méprisons les ragots.... Seulement, — reprit-il avec force, — je viendrai, je resterai dans le fond pour l'accompagner à la sortie. J'ai là de bons amis, entre autres les gars Mathieu, qui sont rapides. Si, par hasard, quelqu'un voulait lui manquer — je suis sûr du contraire — je serai, nous serions là, et ça fera réfléchir. Je passe pour un foudre de guerre, pour un Matamore, un capitaine Fracasse, un Fierabras...

— Qui sont tous ces gens-là, mon Dieu?

— Des usurpateurs... Continuons.

o

Ils avaient quand même deux kilomètres pour gagner l'église, et la route était fréquentée. Jadis, dans les premiers temps, on armait l'auto, qui leur faisait faire une petite promenade au retour.

Puis ils y avaient renoncé par économie. Souvent,
l'on faisait route avec des voisins. C'est une sujé-
tion que des compagnons dans la marche à pied, car
on ne peut échapper à l'accrochage. Il est difficile
de se maintenir à vingt pas avant ou après des
connaissances, et durant dix-huit cents mètres.
On s'arrête pour attendre, ou bien l'on se presse
pour rejoindre. Mais cette fois, M. Georges fit
une pause avant l'extrémité de l'allée. Il y avait
un voisin sur la route. Elles comprirent et s'y
prêtèrent; Madeleine repartit chercher son livre
de cantiques.

Le Dimanche, à Kersardine, on s'endimanchait.
D'abord, pour ces dames, le chapeau, et de vraies
toilettes qu'on retapait, mais qui, deux fois l'an,
comme il convient, avaient leur nouveauté; à
Pâques et pour la Toussaint. Mais elles eussent
pu se négliger : M. Georges suffisait au prestige de
la maison, au rang à garder. D'abord, la redingote.
Oui, une des dernières redingues doublées de soie,
dont les revers brillants n'étaient que le repli de
cette doublure fastueuse. Une redingue pincée à la
taille, juponnante, avec de larges pans tombant
jusqu'aux genoux. Le pantalon de drap-satin,
en même étoffe; le gilet blanc, et la régate de piqué.
La cravate portait une épingle de prix, mais ce qui
était le plus frappant et faisait tout à fait seigneur,
c'était le chapeau melon. Un beau melon profond,
bien hémisphérique, aux larges bords roulés; un
chapeau « conséquent » et coiffant, que seules
arrêtaient les oreilles. Disons que le spectacle était
rendu plus impressionnant encore, car, depuis son

arrivée dans la bicoque, M. Georges avait renoncé
au col les jours de semaine; col que remplaçait
l'écharpe. De même qu'aux gants; on n'en portait
que le Dimanche ou en voiture, par respect pour
la Panhard.

o

On s'engagea franchement sur la route. Il faisait radieux, et M. Georges avait perdu le sens du
grand air épanoui et de la lumière franche. Il cli-
gnait des paupières.

Devant l'église, bien qu'ils fussent partis très en
avance, il y avait des causeurs. Plusieurs vinrent
lui tendre la main, dans la gentille effusion normande, faite de déférence et de familiarité. Les
« Monsieur Georges » résonnèrent à nouveau. Avec
un peu d'insouciance, on aurait pu se croire deux
mois, six mois auparavant, avant cette sévérité
qui s'était appesantie sur la maison. Cependant, on
délaissait un peu Gabrielle.

Il fut paisible dans l'église, mais n'osa plus chan-
ter. Il avait cru qu'il pourrait le faire, se joindre
aux autres, à l'unisson, simplement, sans exécuter
sa partie ni ses variations pour ne pas attirer
l'attention sur lui; mais sa voix ne partait plus, et,
dès qu'il l'entendait, elle lui paraissait téméraire,
déplacée, insolente... Il se tut, pria de son mieux,
retrouvant un attendrissement sur lui-même qui
lui ouvrait profondément l'âme. Cette fois, il n'arrivait plus à *remercier;* il suppliait indistinctement,
se sentant très atteint.

Ils n'avaient rencontré que peu de monde, mais,

avec le soleil, l'église se remplissait. La grand'messe
est un peu sujette à l'amabilité du temps; durant
les beaux jours, personne ne manque. L'église n'est
pas uniquement un lieu de culte, à la campagne,
mais aussi de réunion, d'échanges féminins.

Dès le *Sanctus*, M. Georges fut gagné par l'angoisse de la sortie, par le sentiment qu'il y aurait
beaucoup à affronter. D'un coup d'œil en arrière,
il jaugea l'église bondée, comme si l'on avait voulu
se repaître de sa présence. Mais il aperçut, près du
bénitier, la mine hautaine de M. Maret, qui toujours, sans perdre un pouce de sa taille, pointait
du menton. Près de lui les beaux garçons Mathieu.
Il en fut doucement réchauffé.

Madeleine s'en alla communier avec une autre
jeune fille. C'était nouveau, aux grand'messes;
un sens plus généreux du Saint-Sacrifice, prôné
par le jeune prêtre, tendait à faire de la réunion
paroissiale une sorte d'agape fraternelle, demandant une participation de tous. Madeleine était
bien belle en revenant du chœur pour s'ensevelir
dans son action de grâces.

La messe se terminait. On devait se décider. Le
courage ne manquait pas. Il s'enveloppa de son
signe de croix, ferma son livre, voulut se relever,
mais une des mains de l'enfant se détacha et il se
sentit retenu par la manche... Alors, un flot de
tendresse le saisit, l'emporta. Il se remit à genoux
et retrouva sa ferveur ranimée par l'effusion secrète,
cette sensibilité nouvelle. Ah, l'intelligente; la tendre
petite! son cœur avait compris l'angoisse du vieillard qui lui était cher; elle prolongeait son action

de grâces pour qu'il trouvât moins de monde à la porte de l'église, puisqu'il en avait un si cruel souci. Il était d'ailleurs naturel que M. Georges et Gabrielle l'attendissent; et, en fait, quand ils sortirent, quelques familles seules restaient dans le petit cimetière, toutes heureusement disposées par M. Maret, qui vinrent le saluer, lui demander de ses nouvelles. Brusquement, M. Georges retrouvait un peu de son importance. Ils revinrent même accompagnés par deux voisins, en causant presque gaiement. Le magnifique Dimanche rayonnait.

Gabrielle, bien qu'un peu tenue à l'écart, souriait, contente pour son maître.

IV

Quand Gabrielle eut dit à Madeleine qu'elle voulait vendre sa part de mobilier, elle trouva une auxiliaire, mais plus largement qu'elle ne l'avait pensé. L'enfant apprit en même temps qu'elle-même était propriétaire de la moitié et que cette part serait épargnée. Elle en jeta des hauts cris, très émue de savoir que M. Georges avait pensé à elle pour plus tard, extrêmement sensible à cette tendre pensée que la petite Gabrielle ne déflora point. Elles vendraient toutes deux. Il leur resterait ce qui échapperait à la nécessité. Elles assaillirent M. Georges qui fut au comble de l'attendrissement à son tour (climat pluvieux); elles lui présentèrent la chose comme une opération facile et qui serait fructueuse. Fructueuse? Elles n'avaient pas si tort. Le moment restait favorable. On avait été privé de tout, les manufactures hésitaient; les paysans avaient encore de l'argent, et le goût du luxe, de ce luxe dont elles se débarrassaient, avait envahi les campagnes, le goût du cossu. Les *vendues*, dans l'engouement et l'excitation, dépassaient souvent les prix du magasin. On ne ferait pas de vente publique, ce qui eût amené encore des racontars, mais on confierait aux commissaires-priseurs, aux « aboyeurs », et en plusieurs fois, les meubles et les objets à céder.

Alors, ce furent d'étonnantes restaurations. Avec l'entrain et l'habileté de la petite femme, on en fit presque du neuf. M. Maret, luthier distingué, savait parer le bois, vernir au tampon, et bientôt les meubles qu'on proposait retrouvèrent leur jeunesse. Les tentures furent détachées, frottées au fiel de bœuf, et reprirent des couleurs. C'était une agitation nocturne incessante, car les rafistoleurs avaient compris que les ventes affectaient beaucoup M. Georges, malgré la bonne humeur qu'il dépensait, sur laquelle il appuyait. On gardait des ballots de tapis encore ficelés et M. Maret assurait qu'ils pourraient avoir du prix, que ce devait être des tapis ramenés d'Orient par Chapelle père. Madame Olmer avait divisé cela, en pensant peut-être qu'elle donnait un capital utilisable. On fit venir un expert, que M. Georges voulut recevoir lui-même, car la somme offerte l'ébaubit. Quand on en annonça un autre pour l'argenterie, cependant, il prétexta un voyage au chef-lieu et disparut.

Quand il revint, il offrit à la « cagnotte » (c'est ainsi que ces braves gens avaient dénommé la masse à laquelle tous contribuaient), une assez grosse somme, avec une joie fausse qui faisait mal. Il avait été vendre ses deux montres d'or, sa chaîne, ses breloques, et les fameuses épingles de cravate qu'il aimait tant et dont il changeait chaque Dimanche.

M. Maret sauta sur son vélo et abattit en vitesse ses cinquante-trois kilomètres. Il revint

avec une des montres, la chaîne et trois épingles.
Le reste avait déjà été revendu. On les mit sous
la serviette de M. Georges, et tout le monde guettait dans l'effervescence du cœur. Il n'eut pas
de rires, pas de joie. Il vieillissait. Il se mit à pleurer, tenant la montre au creux des deux mains. Il
les embrassa tous, sans pouvoir trouver une parole
durant tout le repas, avec des larmes qui le reprenaient de temps à autre.

o

Il ne pouvait supporter la brocante. En lui,
demeurait quelque chose de bourgeois qui s'était
attaché bien plus qu'on ne l'aurait cru, bien plus
qu'il ne le savait, à ces souvenirs, à ces signes exté-
rieurs, non d'aisance, mais de respectabilité. La
montre en or du philipotard, sa gourmette de
bedon. La montre en or du *communiant*. L'argenterie, dite de famille...

Ils complotèrent et trouvèrent un expédient.
Tout cela avait beau être discret, on ne pouvait le
lui cacher. M. Georges avait l'âme à vif quand
partaient les meubles pour aller à l'encan. Les trois
complices s'en effrayaient, eux qui finissaient par
en faire une sorte de sport. Ah, le côté Chapelle
n'était pas tout à fait vaincu, dans l'esprit de
M. Georges; cela ne se discutait plus...

On réparait Boncourt. Madame Olmer, prévenue
de l'incendie, avait câblé une longue dépêche ordon-
nant de ne rien épargner; de mettre en branle
l'architecte, mais de donner pleins pouvoirs à

M. Georges (il est vrai que le feu avait surtout ravagé les communs).

— C'est une clause de style, — avait-il répliqué, — ma sœur sait trop bien que je n'ai pas de goût. Mais c'est aussi une attention; elle change. Elle ne m'eût pas réclamé, il y a cinq ans. La paix arrive trop tard.

Gabrielle entrevit une solution à leurs difficultés. Faire admettre à M. Georges un séjour au château pour surveiller les travaux; pendant ce temps-là, eux, les dévoués déménageurs, ils auraient les mains libres.

Ils y parvinrent. On lui fit valoir que même s'il ne servait pas beaucoup aux embellissements, son esprit pratique aurait sa valeur dans la réédification; que sa présence seule améliorerait certainement le rendement des ouvriers. Surtout, qu'en acquiesçant, il montrait sa bonne volonté, sa reconnaissance pour les générosités finales de sa demi-sœur. Une huitaine, de temps à autre. Jules viendrait le chercher. Ces arguments, avec lui, prenaient toujours.

Il semblait d'ailleurs assez content, en s'emballant auprès de Julot dans la camionnette. Jules était tout miel et paraissait assez fier de le ramener, comme d'une victoire personnelle. Berthe était venue avec des châles, des couvertures et une chaufferette. Jules la traitait avec une certaine brutalité pour faire montre de sa victoire.

o

A Boncourt, M. Georges éprouva de l'apaisement, les changements de lieux déterminent des
changements d'habitude, modifient l'heure des
accès. Mais ce fut bref; les plaies étaient mal cica-
trisées; il ne retrouvait aucune aisance. Il étudiait
les gens; une pointilleuse défiance le diminuait. En
somme, toute sa vie ancienne avait bénéficié d'un
préjugé favorable qu'on lui accordait. Le xxe siècle
à son début, et à la campagne, gardait encore quelque respect pour la position sociale, et les Chapelle avaient été si « hauts » que la bonhomie de
leur demi-héritier passait pour une grâce accordée.
Or, celui-ci venait de découvrir la haine et l'envie, et il en avait perdu de son assurance intime.
Devenu circonspect, soupçonneux, il se montrait
encore plus poli; il devenait presque obséquieux;
il rompait vite de peur de soulever des sujets délicats, ou par crainte de quelque rebuffade... Il
passait sans avoir l'air de reconnaître, pour ne pas
obliger à saluer, ou pour ignorer si l'on ne saluait
pas. Et il donnait ainsi aux gens l'impression op-
posée. Ce qui n'était qu'une douloureuse humilité
passait pour de la morgue. Cependant, quand on
l'abordait, c'était au contraire, de sa part, un
débordement de courtoisie, de civilités, de cour-
bettes...

Il éprouva du bien-être à voir travailler les
ouvriers. Il aimait les travaux; les choses nouvelles
lui parlaient beaucoup. Il se montrait très bon
public et s'enthousiasmait pour des arrangements

qui lui devenaient vite invisibles, indifférents. Mais il n'osait plus se livrer aux promenades. M. Georges ne quittait pas le parc, furetant à la bourse, ne voulant plus brûler de ces cartouches si chères. Il ne dépassait l'enceinte qu'avec la nuit, encore, que son sens rural lui rendait familière; où il retrouvait une part de sa liberté, ce qui était un progrès sur les premières sorties nocturnes.

Il guérissait peut-être, en effet, car il se sentait parfois envahi d'amour pour ces trois êtres qui s'occupaient si tendrement de lui. Les grands malades sont égoïstes, et l'oubli qu'ils font d'euxmêmes indique un état moins précaire.

Il rentra à Kersardine un peu calmé. La cagnotte avait presque achevé le second versement.

V

Un matin, en Septembre, vers onze heures, ce fut l'arrivée soudaine, fulgurante, de Madame Olmer.

M. Georges n'avait rien voulu lui faire savoir, bien loin de rien lui demander. La vieille fierté en eût trop souffert. D'ailleurs, la Patronne de jadis n'apprit l'accident qu'à son retour d'Égypte, dans le formidable courrier qui l'attendait à Paris, et par le journal encadré de rouge. Elle accourut. Jules la renseigna, et tout de suite, elle partit pour Kersardine. Elle avait été reprise par le goût de l'automobile; elle conduisait seule une admirable voiture infinie qui scintilla comme un astre devant le château de zinc....

Mais, quand M. Georges apparut sur le perron levant ses petits bras, soudain elle éclata de rire, d'un rire fusant, inextinguible, qu'elle ne tenta même pas de modérer; du rire terrible qui pendant tant d'années avait révolté son frère. Rire qui froissait M. Georges au point qu'il s'en mordit les lèvres et qu'il attaqua immédiatement. En somme, c'était le meilleur de son héritage Chapelle, cette façon de faire tête dans l'excès de la misère ou sous une violence inattendue :

— Mary-Ann, — proféra-t-il, du haut de son perron, — si tu es venue pour augmenter notre confusion ou en jouir, ou pour insulter à notre malchance, je te demande de reprendre sans délai le chemin de Boncourt.

Dans l'ombre du vestibule, Gabrielle se tordait les mains, déhanchée.

Mais Madame Olmer grimpa les marches, tout écumeuse encore de gaieté, ses belles dents brillant sous les lèvres rougies; elle attrapa le rodomont d'un geste extraordinairement rapide, par le cou, et il se trouva brusquement embrassé sur les deux joues. Ahuri, il en tremblait.

— Allons, allons donc!... Mais Georges, laisse-moi rire... Mais laisse-moi!... Assieds-toi. Là et ne m'en empêche pas. C'est si drôle!......

— Drôle?!!

— Mais oui... Bonjour, ma bonne Gabrielle!... Seigneur, que d'événements!... Mais oui, si drôle... Tu sais bien que je n'ai pas de goût pour le drame... Ni pour le conformisme. Toi, Georges, un ACCIDENT D'AUTO.... et par TON IMPRUDENCE! toi, le père de la lenteur, le grand-père de la circonspection, l'amant de la précaution!... Et toi, si correct, si décent, toi, tamponné par un gigolo, et battu, par-dessus le marché; toi, engueulé publiquement par un avocat de bourg pourri, et... ah, Georges!...

— Non, Mary-Ann, rompons-le! Assez!...

— Mais laisse-moi rire pour mon argent!... Je t'apporte deux cent mille francs, dans ma mallette, pour débuter.... Il ne sera pas dit que nous ayons

abandonné l'un des nôtres dans la déveine!... Oui,
ne me remercie pas, ou plutôt laisse-moi m'en
donner... Toi — j'en suis sûre!!! écoutant cette
charge à fond, et la prenant pour la voix du
Seigneur!... L'avocat fut le buisson ardent; le prétoire puant fut l'Horeb, et la correctionnelle, le
chemin de Damas... Toi, GRAND COUPABLE.
Phtt!!... Gabrielle, allez chercher la mallette, et
répandez ses liasses sur les genoux couronnés de
votre pauvre maître... Mais qu'il me laisse rire;
qu'il me laisse pouffer, qu'il me laisse me tordre!...

Et ne pouvant y échapper, prise par ce démon
du fou rire, elle se « tordait » en effet sur sa chaise;
si bien qu'elle dut se lever et marcher pour tenter
de diminuer cette souffrance joyeuse, cette frénésie
que l'hilarité aiguë finit par communiquer à tout
l'être. D'autant plus que la figure stupéfaite de son
frère, qui n'en croyait pas ses oreilles, et qui n'en
crut pas ses yeux, donnait à la scène sa cocasserie
suprême.

Gabrielle revint avec la valise, et Madame Olmer,
d'un coup sec, fit tomber sur la table une avalanche
de paquets bleus retenus par du coton blanc...
C'était extraordinaire, dépassant le croyable...

Elle les poussa vers son frère, d'un grand coup
de gant, et vers Gabrielle, en dérivation.

— Pas voulu de chèque, non, du tout! Il fallait
que vous les eussiez sous les yeux, dans les mains...
Pataugez, mes enfants, allez-y... S'il en faut
d'autres, il y en aura...

— Mais, mais, je ne puis...

— Ah ça, par exemple, fiche-nous la paix, à ton

tour, Georges! Ne fais pas l'imbécile... et, mon bon, laisse-moi achever mon rire... Mon petit Georges, plus de soucis!.. Où est ton Monsieur Maret que je lui serre la patte? ... Arrêtez vos ventes. Je règlerai tout. Et on va voir, ah, on va voir!...

o

Alors, il se passa un phénomène inattendu : la contagion; l'heureuse nature reprit, se retrouva. Les billets et la somme y étaient pour quelque chose car l'homme reste l'homme, mais, à coup sûr, le fait principal, l'agent actif, ce fut cette cordialité, cet épanchement amical, vraiment fraternel après quarante ans de réticences et d'aigreur plus ou moins déguisées. Un peu d'abondance matérielle, de facilité, soulageait l'esprit, mais qu'était-ce, pour ce tendre bonhomme, à côté de cette revanche prise sur la contrainte familiale... Reparurent chez M. Georges, sa gentillesse ancienne, son amabilité foncière, son heureuse plasticité.

On le vit sourire, lentement, puis rire, aussi, et brusquement éclater, comme sa sœur, dans une détente de tout le corps... Il marchait de long en large, en se frottant les mains, en se tenant les côtes, ses côtes douloureuses :

— Oui, — hennissait-il, — oui, j'ai été dressé, ah, écrabouillé... — Il s'esclaffait; — ce petit cochon d'avocat, et l'autre, le grand salaud!... ce qu'ils m'ont cogné... Ah, le *rugbyman*, qu'est-ce qu'il m'a mis dans la pilule!... Oh là là! tout volait sous ses godasses!... Mon portefeuille s'était trotté; ma casquette....

— Ta casquette d'amiral?

— Oui, d'amiral suisse, à dix pas... Tout me
quittait. Et je saignais du nez à faire des flaques;
et j'étais tombé sur le côté; et il me bourrait le
derrière de coups ferrés...

— Georges, dis « le cul », dis « le cul », dis-le!....

— Le cû, sans « l » — fit-il, triomphalement, —
d'une fesse à l'autre....

Mais Madeleine apparut juste pour recevoir le
mot en pleine poitrine; elle recula, épouvantée, n'y
comprenant plus rien. Ces rires, les billets, en
opulent désordre; les parents qui s'arrêtaient mal...
Même Gabrielle, étincelante, pouffant en petits
éclats dont elle se défendait... Tout cela sentait
le soufre! Après tant d'âme dépensée, cette am-
biance païenne de joie débridée, de joie physique!....

Madeleine? tant pis, l'heure était trop pleine,
trop riche, trop grasse! Ils en avaient tous un tel
besoin! Cette mélancolie, ce tourment qui avaient
fini par les restreindre, ils s'en extirpaient. Leur
gaieté vivait encore, sous les ruines. Elle reparaissait, resurgissait comme un jet volcanique en
surtension. Sauf chez Madeleine, qui, dans ce
marasme et dans cette inquiétude, s'était affirmée;
croyait avoir gagné du terrain, et qui s'altérait...

Mais M. Georges ne lui laissa pas le temps de
réaliser; il l'empoigna affectueusement, dans une
liberté tendre qu'il commençait d'avoir avec elle,
une familiarité vraiment paternelle :

— Madeleine, *ma chérie*, Madame Olmer vient
de renflouer Kersardine. Regarde, contemple, ad-
mire et remercie comme nous tous!... C'est fini,

nous repartons vers la bonne étoile. Grâce à elle,
à ma sœur...

La petite qui n'avait pas le sens de l'argent
fut frappée, cependant, et entrevit la générosité,
l'espèce de miracle. Elle finit par sourire en s'inclinant devant la Patronne, qui retrouva du sérieux
comme si son arrivée, l'arrivée de l'enfant, remettait en jeu des instances plus graves. M. Georges
comprenant qu'il importait de ne pas laisser les
femmes inactives, s'écria : « Occupez-vous de
l'avoine! Mary-Ann, tu déjeunes.... avec moi. » Il
s'était arrêté un dixième de seconde, mais dans
cet imperceptible intervalle, tous mirent leur divination, leur sensibilité hypertendue; rien qu'un
dixième de seconde, avant de terminer, par « avec
moi », ce qui aurait dû être « avec NOUS ». Mais
non, Madame Olmer ne pouvait partager la table
des « phalanstériens ». « Avec moi » signifiait « nous
deux seuls »; Madame Olmer avait déjà trop fait;
il ne fallait pas abuser. Mais ce petit « moi », rayait
de l'intimité familiale Gabrielle, Madeleine, Samuel... Seulement, la Patronne était bien trop
grande dame pour laisser subsister la fêlure : « Je
comptais déjeuner avec *vous*, en effet, — clama-
t-elle, de sa voix mordante : — Rappelez le musicien, cherchez le maëstro. Je tiens à voir le champion. Téléphonez aux maisons où il officie. Madeleine, débrouillez-vous! Nous devons le féliciter.
Repartez vers la voiture, Gabrielle, j'ai apporté
aussi des victuailles.

Et comme si le scénario était arrangé exprès,
M. Maret justement entra. Lui aussi, bien que

l'éblouissant cabriolet l'eût quelque peu prévenu,
il resta sidéré de cette atmosphère nouvelle, per-
cuté par le tas de billets de mille, les billets dérangés, entassés, dédaignés, qui empiétaient sur la
table. Son œil exercé, peut-être trop, appréciait
la grosse somme venue soudain s'abattre sur leur
modique, leur pauvre foyer. Et Madame Olmer
allait droit à lui, lui tendant la main :

— Monsieur Samuel Maret, je tiens à vous dire
toute la gratitude que j'ai pour votre manière
d'être, et la joie que me donnèrent vos claques...
J'ai toujours aimé la justice qu'on fait soi-même,
et si j'avais été homme, j'aurais cultivé la gifle. Vous
avez bien mérité des Chapelle. Mon père affirmait
que le duel restait le dernier vestige de santé sociale.

— Je n'ai pas eu de mérite, Madame; je dois
avouer que la riposte m'est particulièrement naturelle. J'ai mauvais caractère, et mon adversaire
en avait moins l'habitude; lui cultive l'assignation.

— Justement, et à ce propos, je tiens à intervenir; je suis arrivée trop tard pour vous conseiller
l'appel, et m'y consacrer. Mais votre affaire, je
m'en mêlerai. Mes enfants, l'avocaillon le sentira
passer! Je fais venir un avocat d'assises : le premier avocat d'assises français. Marie-Robert, de
l'Académie, pour plaider votre procès, M. Maret,
et remettre en cause l'affaire Ponsignon contre
Chapelle, au moins moralement. Rien que son nom
attirera toute la ville; et rien que son nom plaidera
en notre faveur. Ah, vous avez été molesté par des

cuistres : ce sera la revanche des seigneurs. Je m'en pourlèche!

Tous remués jusqu'aux tréfonds, la dévoraient des yeux. Son animation superbe l'avait reprise; elle était là, grandie, galbée, acérée, et c'était pour ces pauvres diables qu'elle allait combattre. Tous sentirent passer le frisson d'une force inexplicable, de cette puissance, de cette ardeur intime servie par de grands moyens, qui n'avait jamais connu l'émiettement des difficultés pratiques et basses. Elle agitait la tête, réverbérant, sur ses cheveux argentés, la lueur solaire. Madame Olmer, en action, au-dessus des billets de banque, malaxant son grand sautoir de perles, les « perles Chapelle », deux cents, de vingt grains chaque!...

« Mon petit Georges, je te vais payer une de ces revanches qui compteront dans ta ville capitale. Même la Panhard sera citée à l'honneur. D'ailleurs, je ne veux plus que conduire moi-même, et je t'abandonnerai la Bentley. Georges, je paierai l'assurance, je paierai l'assurance....

— Non, c'est trop, pas de voiture, plus de voiture!.....

— En avant la musique!....

— Non! — clama M. Georges; le repas, d'abord; femmes, empressez-vous à l'entour du festin!

— Il y a une langouste, comme ça!... — chuchotait Gabrielle, fort émue.

— A laquelle seule manque *votre* mayonnaise, Gabrielle. Et il y a *ton* pâté d'Amiens, Georges, aux canards désossés...

o

Comme tous s'affairaient, le frère et la sœur
restaient seuls, M. Georges s'enquit du fameux
Jacques. Tout de suite, Madame Olmer perdit son
brillant, s'éteignit... Jacques s'avérait de maniement difficile... M. Georges, qui devenait perspi-
cace, se demanda, si, dans la verve de sa sœur, dans
son mouvement, n'entrait pas quelque désir, quelque besoin de dissipation, de faux entrain... Ne
cachait-elle pas un souci grave derrière sa gaieté?
Ce Jacques, s'il avait le cœur bien placé, manquait
d'esprit de suite, parfois, même, un peu de raison...
De mauvais camarades... Les séquelles de cette
guerre sur un sujet trop jeune. Engagé à dix-
huit ans, toutes ces horreurs, ces souffrances
sans nom! M. Georges n'insista pas.

Gabrielle mit quatre couverts, arguant qu'elle
aurait à servir et que cela serait ainsi plus facile.
M. Georges, sa sœur en face de lui; à droite, Madeleine, et à gauche, Samuel. Celui-ci, en veston noir,
semblait capable de répondre à tout. Madame Olmer causait familialement avec lui. Les billets de
banque, dans un désordre voulu, étaient restés au
milieu de la table, comme, disait M. Georges, le
plus rutilant des surtouts, bien qu'ils fussent
bleus!

Madame Olmer avait perdu de sa verve, mais
ainsi elle était moins intimidante, et Madeleine
l'admirait. Madame Olmer mangeait avec le soin
et l'attention qu'elle apportait à ces rites, en grande
connaisseuse. M. Georges ne savait pas trop ce qu'il

disait; il parlait, parlait encore, dans une décompression grisante.

Après, musique. Sonate en sol majeur de L... pour piano et violon, où Madeleine se montra tout de suite à l'aise (particularité : sa timidité cessait dès l'instrument en main); M. Georges, inégalable dans « Le Pauvre Pierre ».... La maison retentit comme aux plus beaux jours de l'arrivée, quand on chantait sans répit. Le son gagnait la route et les gens s'arrêtaient pour écouter ce sensationnel tapage.

o

A quatre heures, Madame Olmer :

— Je repars pour Paris. Je garde le meilleur souvenir de votre hospitalité; tous, soyez remerciés.

— Tu ne restes pas quelques jours à Boncourt?

Rembrunissement :

— Impossible! Mais je reviendrai. Continue de surveiller.

Et attirant M. Georges qui s'affairait, remplissant la voiture de roses précoces, d'iris et d'anémones, car il gardait les habitudes anciennes où tout visiteur devait emporter quelque chose, au moins un bouquet, elle lui glissa :

« Tu avais raison... »

Or, il répondit, subitement grave, à son tour, et sur le même ton :

— Tu n'avais pas tort....

La belle voiture s'engagea dans l'allée tumulaire. Le miracle était passé.

L'ATMOSPHÈRE de la maison changea; l'intérieur redevint gai, entrain, un peu comme jadis. Mais en apparence seulement, car M. Georges avait été trop touché, et trop de changements s'étaient produits, modifiant les situations respectives, altérant les caractères. La paix large et comme épaisse avait fait place à une tranquillité nouvelle, un rien précaire, vaguement névropathique. Les mouvements en subissaient une accélération un peu tourmentée. On semblait cependant avoir acquis une sorte de sérénité qui compenserait cette instabilité. Il devenait admis qu'on s'en tirerait toujours, non pas en s'adressant à la Patronne, mais en ayant, grâce à son intervention, retrouvé la chance.

Madame Olmer avait rétabli la bonne main. Ils accueillirent sans nul souci apparent une augmentation de frais médicaux, car l'enfant blessé subit une complication, une réouverture de sa grande plaie du tibia.

M. Georges avait définitivement refusé la Bentley et ç'avait été malgré les supplications de tous qui sentaient de quel appui moral eût été pour lui

la possession d'une voiture. Mais non, il voulait
donner des gages au destin; ne pas trop tirer sur la
corde, ne pas exagérer. Qu'avait-il à faire d'une voiture, maintenant? De la même manière, il rendit
son action de chasse. Tout cela était coûteux, et il
devenait d'une presbytie incorrigible. Il tirait beaucoup moins bien. Seule Madeleine ne protestait
jamais devant ces résolutions sévères. Le beau
regard encourageait le vieil homme, le beau regard
bleu profond.

o

Et pourtant, Madame Olmer tint ses promesses,
et au delà. La situation morale fut complètement
retournée. L'avocat célèbre, immédiatement, donna
à M. Maret, et, par derrière lui, à M. Georges, cause
gagnée avant toute action directe. Qu'il eût consenti, qu'il se dérangeât, l'opinion publique suivait.
Il y avait du monde jusque sur la place, et les bancs
du prétoire étaient combles. La plainte contre
Samuel allait tourner à son triomphe.

Dès les premiers mots, le maître commenta sa
présence. Il venait pour placer le débat à la hauteur
que méritait ce débat; et ce n'était plus seulement
une question de voies de fait. Il allait défendre un
principe. La dignité humaine; le droit pour chacun
de faire prévaloir cette dignité; la nécessité de
mettre un frein aux attaques déplacées, désordonnées, injurieuses, aux calomnies d'assaut, qui sont,
à l'ordinaire, hélas, une mainmise de la lâcheté
sur le malheur...

Sa belle voix juste, sans trémolos dramatiques,

sa voix timbrée d'homme du monde, de grand bourgeois, donnait aux mots une force troublante de persuasion. Il ne dit que du vrai, s'appuya uniquement sur le vrai. Comment, un homme jeune avait osé, à l'égard d'un vieillard affaibli et ruiné, user de telles insinuations, tellement en dehors de la question! Salir un honnête homme que tout le monde aimait; à qui ses concitoyens avaient confié des charges, oh, sans grande importance, il est vrai, dans leur médiocrité rurale, mais *d'autant plus probatrices qu'elles étaient campagnardes*. Un maire, dont la vie est exposée aux yeux de tous, ce conseiller d'arrondissement, fonction qui est à la députation ce que le ménage est à l'union libre; une affaire de familiarité, de connaissance individuelle. Ce n'est pas pour un principe que votent les ruraux, et en particulier les Normands. Tout chez eux, bien loin de l'enflure et de la fièvre politiques, se ramène à une question de personnalité. Un vote qui détermine un maire est un blanc-seing de l'opinion. *Donne-t-on des blancs-seings à un malfaiteur?*

La voiture, la fameuse voiture, conduite par cet homme accablé, si, cette fois, elle avait été néfaste, combien d'autres s'était-elle révélée bienfaitrice? Et le maître lut un étrange relevé : « Le 2 août 1936, entrée à l'hôpital, de... *porté*, comme l'on dit chez vous, gratuitement, par M. Chapelle. En voici l'attestation. Le 6 septembre, voyage à Lisieux pour amener un enfant à l'opérateur. Témoignage des parents. Le 11 Novembre, jour de l'Armistice, le maire, qui allait démissionner — n'avait pu assister aux cérémonies car il était parti pour Évreux y faire admettre un grand malade »... Madame Olmer avait bien travaillé; l'avocat parisien put citer onze voyages bénévoles en deux ans, onze voyages de bienfaisance.

Et alors il reprit les termes mêmes de la plaidoirie; avec une conviction lente qui gagnait irrésistiblement, il stigmatisa ces expressions d'une gaieté grossière et salace, ces sous-entendus qui avaient fait tant rire; la fameuse tirade sur la traite des blanches, il la répéta; ses mots prenaient, dans cette bouche puissante et respectée, un caractère d'une vilenie sans exemple, humiliante pour la Cour, impardonnable.

Enfin :

« Et il s'est trouvé un honnête homme, un artiste, lié d'ailleurs lui aussi par des bienfaits, qui n'a pu le supporter; qui n'a pu admettre que le bavard aux paroles atroces que vous venez d'entendre, aux accusations infâmes, l'homme jeune, qui, se targuant de sa jeunesse et de sa toge, les avilissait l'une et l'autre, n'emportât que des rires et des bravos, cette approbation de la canaille, — car il faut appeler par son nom cette partie ricaneuse et poivrée de la foule. Il s'est dressé devant le sportulaire grisé de son sale succès; il l'a giflé, il l'a châtié; et, au nom du Barreau, je le remercie de son geste. Messieurs les Juges, il vous reste le devoir de condamner ce champion de l'honneur, car nos lois ne pouvaient prévoir l'ignominie qu'il punissait. Mais, dans tous les cœurs, sa cause est gagnée. »

o

Elle l'était aussi près des conseillers.

Trois télégrammes arrivèrent aux Rochers, dont l'un résumait le jugement, et les autres apportaient des félicitations. Le premier était de Madame Olmer, qui avait assisté, tout en blanc, aux premières places : « Vingt sous de dommages et intérêts, au lieu de cent mille francs. Stop. Les frais, évidemment, mais avec des considérants tels sur le prêcheur qu'il est fichu. Stop. Bravo. »

M. Georges marchait de long en large dans le petit jardin quand survint le porteur de dépêche. Il attendit pour ouvrir que les deux femmes fussent à ses côtés. D'une main qui tremblait un peu, il fractura la difficile enveloppe. Ils s'assirent tous les trois, trop émus pour parler, d'ailleurs, épuisés physiquement. Ils regardèrent baisser le jour sans presque échanger une parole; dans la détente, presque la stupeur.

Maret n'avait pas remis ses leçons. Il était parti en campagne, haussant les épaules : on saurait toujours à temps. Mais quand il retraversa le bourg, il se vit arrêté par deux hommes qu'il ne connaissait qu'à peine, et, immédiatement, ce fut un attroupement autour de lui. Tous voulaient fêter une pareille victoire, mais lui refusa le p'tit vin blanc, refusa tout ce qu'on lui offrait. Il se devait de remonter là-haut, de faire accueil à la joie de son monde. Et pourtant la température était lourde, la route brûlait; la vallée elle-même, couloir de

fraîcheur enrubanné d'eaux vives, accusait des
herbes échauffées, des roussissures. Il remonta la
côte, enivré de l'affection qui l'attendait, plus grisé
que s'il avait eu dans le corps tout le Chablis de la
bourgade.

VII

U<small>N</small> soir, M. Maret ne rentra pas. C'était d'autant plus étonnant, que, depuis les revanches, Gabrielle avait obtenu qu'il fût moins nomade. L'orage incertain avait durement pressé la terre et alourdi la brise. Vers neuf heures, les femmes commencèrent de s'inquiéter.

— Les grenades sont toutes là, mais sais-tu quelles étaient ses leçons, Madeleine?

— Aujourd'hui? Les Challes, les Hopsor, les Van Hoosebrouck...

— Comme tu te tiens au courant!...

La jeune fille ne répondit pas. Gabrielle insista :

« Les Van Hoosebrouck ont le téléphone; si je ne craignais de l'irriter un peu...

— Eh bien?

— Je leur téléphonerais. Puisque tu as des précisions telles, dans quel ordre, ces leçons?

— Ça, je ne sais pas...

Mais Gabrielle ne pouvait tenir en place :

— Je vais descendre à la gare. Le chef de gare me permettra de téléphoner. Il attend le train du soir.

— Laisse-moi y aller; — fit résolument Madeleine. — Si M. Georges se réveille, il croira que je suis couchée.

Tout ceci s'échangeait à voix basse, dans cette précaution, qui, en elle-même, renferme de l'anxiété et la renforce.

— Prends garde au chef de gare! — murmura Gabrielle, déjà consentante. — Il est entreprenant...

Le regard qu'elle reçut, dans son mépris, dans sa hauteur, la poursuivit tandis que Madeleine s'apprêtait. Celle-là serait moins soumise... Cependant, sait-on jamais quelle femme sortira de la jeune fille?

o

Par les fenêtres ouvertes, entrait l'odeur admirable de la terre surchauffée mais mouillée par la pluie d'orage. Au loin, révélant des formes d'horizon insoupçonnées, déchiquetées, des éclairs de chaleur, des « épars », ce mot superbe qui agrandit les lueurs et balafre les nues... M. Georges somnolait dans la paix mystérieuse des vieillards, dans une sorte de dignité déjà un peu funèbre.

Madeleine revint près d'une heure plus tard, et la nervosité de Gabrielle se doublait de son absence. Son malaise physique, la douleur sourde qui ne la quittait plus, diminuait son courage, la belle réaction qui lui était habituelle. Ce fut presque avec agressivité qu'elle l'interrogea sur le perron, hors de la présence du maître.

Les Van Hoosebrouck n'avaient pas vu M. Maret. Sur la demande de Madeleine, et gentiment,

ils avaient envoyé leur garçon s'informer à bicyclette dans les autres maisons où le musicien devait
avoir paru. Personne ne savait; personne ne
l'avait rencontré. Les menaces alors prirent corps.
Les témérités du champion pouvaient exaspérer
les rancunes.

— Mais peut-être qu'il se sera arrêté, laissé aller;
peut-être qu'il aura bu quelque part?

— Non! — répliqua l'enfant, avec indignation —
Il ne boit pas; il ne boira plus!....

Elles rentrèrent.

o

A dix heures passées, rien encore. Toujours ce
silence traversé des plaintes à deux notes, les deux
notes mélancoliques des crapauds normands.
M. Georges, à demi endormi encore, alla se coucher après les avoir embrassées. Elles ne lui souf-
flèrent mot du retard. Elles attendaient.

— Mais que faire, que faire? — demandait Gabrielle : — Où même tenter de le chercher puisqu'il
n'a pas paru à ses leçons ordinaires?... C'est toute
la campagne ouverte...

Madeleine se taisait, dans une inertie frappante,
très droite sur sa chaise et les yeux clos. De temps
en temps, elle allait à la fenêtre et se penchait.
Dans le silence compact, toute son ouïe de musi-
cienne se tendait, s'affinait pour étudier jusqu'aux
frissons de l'air et des choses. Un gémissement
eût été entendu de plusieurs kilomètres.

A onze heures :

— Il faut prier, — dit-elle enfin : — C'est tout ce qui nous reste. Disons notre chapelet.

Gabrielle eut une crispation du visage : elle était sûre que ça allait finir ainsi :

— Je n'ai plus de chapelet...

— Voici le mien; j'en ai un autre.

Gabrielle haussa légèrement les épaules. Puis, elle obéit, avec, même, le sentiment qu'elle eût pu, par son opposition, aggraver les menaces. Elles égrenèrent des *Ave*. Un peu de paix rentra dans l'âme de la jeune femme. Il y avait cette monotonie lénitive de la récitation toujours la même, et aussi des souvenirs d'enfance, un retour des piétés anciennes, de temps à autre.

Gabrielle se redressa :

— Nous avons tort de nous agiter à ce point-là. Cela lui est déjà arrivé deux fois, de ne pas rentrer coucher. Il a passé la nuit à Épinay, un jour où il avait éclaté. L'autre fois, je ne sais pas... Non, il ne faut pas s'inquiéter si vite! C'est l'effet de tout ce qu'on nous dit... Je ne tiens plus debout; je vais m'étendre. Couche-toi aussi.

— Oui, couchez-vous... J'ai une composition pour après-demain. Je veillerai encore un peu et lui ferai réchauffer du bouillon s'il a faim.

— Ne lui dis pas que je m'inquiétais à ce point-là. Cela pourrait l'agacer, car, malgré tout, il aime à se sentir libre.

Gabrielle regagna sa chambre. Ce qu'elle ne pouvait pas dire, c'est qu'elle pensait être moins aimée. Depuis une quinzaine, Samuel paraissait distrait, obsédé. S'il avait eu un coup de cœur pour

Madeleine, cette distraction eût cessé devant la
jeune fille, avec elle; et rien de pareil n'existait.
Madeleine? il ne la voyait pas; il ne remarquait pas
cette beauté qui chaque jour s'affirmait, se dégageait.

o

Mais, cinq minutes plus tard, Gabrielle reparaissait, pâle comme une déterrée, décomposée, se
soutenant à peine, s'appuyant au mur.

Madeleine retint un cri.

Gabrielle, la bouche tremblante, claquant des
dents :

— Il manque, il manque... *cent mille francs*, à
la cagnote — murmura-t-elle, en se laissant tomber
à demi évanouie dans le fauteuil de M. Georges...
— cent mille francs au moins : Au moins la moitié
des liasses.

— Ce n'est pas lui! Non, JAMAIS!!

— Non... ce n'est pas lui... Mais s'il avait voulu
m'abandonner, nous abandonner?...

— Il n'eût pas emporté l'argent!

— Alors, qui?

— Un voleur dans l'après-midi, ou le matin....

— Je n'ai pas bougé de la maison.

— Quand avez-vous vu l'argent pour la dernière
fois?

— Avant-hier soir. Mais, hier non plus, je ne me
suis pas absentée; je souffrais trop.

— C'est peut-être M. Georges qui l'a changé de
place.

— Oh non, il me l'aurait demandé. J'ai tout

l'argent de la maison et je l'enferme à clef, en laissant la clef derrière la pendule... Et pourquoi
M. Georges l'aurait-il pris? Il n'est sorti qu'à la
nuit close, et la poste ferme à six heures.

— Ce n'est pas Samuel, — répéta avec plus de
force encore Madeleine —. Comment, VOUS,
osez-vous le soupçonner? Il est incapable de prendre
un sou à qui que ce soit, et ici... Il était si heureux
de l'argent, pour nous....

— Et s'il avait été saisi par un coup de folie? —
répliqua très bas Gabrielle : — Je sais aujourd'hui
qu'il a été trépané pour une blessure de guerre...
Les gens trépanés n'ont pas toujours retrouvé
toutes leurs facultés d'esprit; ou, du moins, peuvent
avoir des crises graves... La violence de M. Samuel
vient en 'partie de ses blessures...

— Ah, c'est épouvantable! — gémit la jeune
fille — ...Si vous vous trompez, si vous vous trompez, je fais un vœu... Mais que puis-je de plus :
j'ai tout promis, TOUT.

— Quoi? Qu'as-tu promis? — s'écria Gabrielle,
avec colère et malgré son abattement; peut-être
pour en sortir un peu : — Qu'est-ce que tu imagines,
encore?.... Qui te monte ainsi la tête?

— Si vous reveniez tous à Dieu, j'ai promis...
— Tais-toi... Tais-toi!...
Madeleine montrait cette obstination insupportable des illuminés, de ceux qui vivent dans l'absolu, et qui, quand le côté pratique réclame l'attention, deviennent un tel fardeau en introduisant,
dans l'action, la ruée de leurs chimères. Mais Madeleine ne se laissait pas faire, à la fin :

— Non, — reprenait-elle, butée, crispée : —
Non, c'est trop grave! Il ne nous reste que Dieu.
Faites un vœu, s'il revient. Si vous vous êtes
égarée sur son compte, si vous l'avez calomnié, il
est juste que vous en soyez punie!... Pardon, pardon!... Mais s'il revient, sain et sauf, et bien sûr,
innocent, disculpé, pouvez-vous, pourrez-vous abuser encore de cette grâce? S'il rentre, si nous retrou-
vons l'argent (ou qu'importe), s'il n'est pas coupable, faites un vœu; je vous en supplie! C'est
peut-être le dernier avertissement donné. Je t'en
conjure, Maman-Belle!! En ce moment même, il est
minuit moins dix — peut-être se trouve-t-il en danger, peut-être qu'on le guette, que le fusil se lève...
   — Mais, s'il n'y a rien?
   — Oh, il y a!... — s'écria la jeune fille avec force :
— A cette heure, il court un grave péril... Je l'aime,
moi aussi, mais il n'en saura jamais rien... Mieux
mourir!... Je l'aime depuis deux ans. JE SAIS qu'il
est en danger... Faites le vœu, à mains jointes...
Je vous le demande. Je vous l'ordonne!...
   Gabrielle gagnée, tordue, se leva, vacillante,
étendit les mains, allait parler :
   — Ne dites rien, — souffla l'enfant; — je sais,
je sais. En vous, le vœu, la promesse de ne plus
admettre... La promesse... dans votre cœur et
votre esprit. La promesse!...
   Sous la lueur rougeâtre de la lampe, Gabrielle,
à son tour, dans son horreur, reprenait une beauté
pathétique... Regardant au loin, le fond de la nuit,
de ses yeux terrifiés, dilatés, elle bougeait ses belles
lèvres pour des serments terribles.

Et brusquement, elle se laissa retomber, véritablement brisée, rompue, cassée... Elle sembla se recroqueviller, se réduire; et, d'une voix presque imperceptible :

— J'ai fait le vœu... Tout est perdu, de toute manière... Et s'il revient, et s'il ne revient pas... J'ai mal partout. Je suis morte... Aide-moi... Il faut attendre le jour. Aide-moi, je ne pourrais monter l'escalier. Je me suis trop fatiguée, ces jours... Tout est fini. Couchons-nous... S'il revient, plus tard, *je te le donnerai,*

— Je n'en veux pas. S'il revient, j'appartiendrai à un Autre.

Gabrielle haussa les épaules avec un dédain irrité et qui ne tenait plus compte de rien.

Madeleine déshabilla la jeune femme et la coucha.

— Je prends trois pilules d'opium.

De ces pilules qu'on lui avait recommandées pendant sa crise.

Madeleine ne la quitta qu'après l'avoir vue s'assoupir, terrassée.

o

A une heure, Madeleine remonta dans sa chambre, se déshabilla à son tour, et resta allongée sur son lit, la fenêtre grande ouverte. La chaleur ne diminuait qu'à peine; l'orage revenait. Le ciel était parcouru de vastes aurores subites, dans le silence.

Vers quatre heures, elle perçut un grésillement, un frémissement dans l'allée, d'elle bien connu.

Elle se précipita. M. Maret rentrait à bicyclette.
Il descendit en titubant, sans son brio habituel,
lui qui laissait filer la machine et la rattrapait
comme au vol. Il abandonna la bicyclette dans le
petit parterre près du perron. Une joie sans limites
remplit l'âme de la jeune fille : le cauchemar était
fini... Le reste ne comptait pas.

Elle se réétendit sur sa courtepointe, dans une
action de grâces fervente.

Mais, malgré tout, son être continuait à guetter,
à analyser. Une attention hypertendue exacerbait
ses sensibilités diverses; sa finesse d'ouïe, surtout,
lui conférait une sorte de vision auditive. Elle
discernait l'attitude, les gestes de M. Maret; ses
pas légers lui faisaient voir l'homme débarrassé
de ses souliers, haletant d'ailleurs, presque gémis-
sant... Non, pas gémir : trop!... un souffle un
peu rauque. L'idée de l'ivresse la traversa... Il
s'arrêtait près de la porte de Gabrielle. Allait-il
entrer, Seigneur? Non, il continuait, il remontait.
Mais elle crut distinguer un bruit répété, spasmodique, une manière de hoquet, insistant... Elle se
redressa sur son lit; elle avait la sensation qu'il
pleurait, qu'il sanglotait. Elle se sentit pâlir...
NON, non, il n'était pas ivre : c'était différent,
bien plus grave!... Il entra chez lui et referma la
porte. D'un bond, Madeleine fut contre, devinant que quelque chose d'indicible allait se jouer
ici et que toutes les délicatesses n'étaient plus de
mise. En collant son œil à la grande fente qui dis-
joignait le panneau supérieur, elle vit.

Il faisait peur. Oui, il sanglotait, les mains écra-

sées sur sa poitrine pour contenir les sanglots.
Décoiffé, les cheveux hirsutes, il regardait la fenêtre avec l'expression de manquer d'air, d'en réclamer : « Dieu, il a fait sauter l'usine!... » pensat-
t-elle : « Avec l'orage et les éclairs, on n'aura rien
vu... rien entendu!... » Il se rapprocha encore de la
fenêtre, étouffant. Le jour naissant blêmissait;
sous ses cheveux déplaqués, elle vit la cicatrice
du crâne, à gauche. Il allait de long en large, sur
ses chaussettes... Il se désespérait, dans une agonie
à demi silencieuse, vraiment épouvantable...

« Ah! »...

Soudain, elle le vit prendre une chaise, monter
dessus pour atteindre le dernier degré de l'armoire
ouverte avec brutalité.

« LES GRENADES!... » L'enfant crut avoir
hurlé.

Oui, c'étaient les grenades, les grenades! Gabrielle avait obtenu qu'il les confinât sur la dernière planchette, toutes, celles du vestibule, des
paliers...

« IL SE TUE!...

L'homme en avait saisi une, et comme pour
rendre sa décision irrévocable, il venait, d'un seul
geste d'une rapidité convulsive, d'en arracher
l'anneau qui tomba. Madeleine savait trop bien
l'atroce maniement, pour l'avoir tellement re-
douté... La grenade dans sa main crispée, il bondit
vers la porte. Il commençait de se tuer; il allait se
tuer au dehors; il se tuerait en ouvrant simplement
les doigts.

Mais avant qu'il n'atteignît le vantail, Madeleine l'avait écarté, apparaissait dans sa longue chemise de nuit et se jetait sur le dément :

— Si vous ouvrez la main, vous me tuez aussi!...

Elle se collait contre lui, ses deux bras autour du cou, de tout son amour, de toute sa frénésie nerveuse, de tout son sacrifice consenti.

— JETEZ-LA... PAR LA FENÊTRE.... PAR LA FENÊTRE!....

La petite main descendit et serra l'autre poing, s'y adaptait... Le tirait, l'élevait. Ce fut si violent et si instantané que l'organisme, privé de contrôle, obéit, et curieusement, encore guidé par le réflexe militaire oublié depuis quinze ans, Maret lança le projectile en grenadier, de toute sa force.

Mais il était temps; dans les mouvements spasmodiques, le percuteur avait répondu, et la grenade éclata à dix mètres de la façade, en l'air, dans un fracas sans nom. Madeleine, repoussée et décochée par la rudesse de l'impulsion, était tombée aux pieds de l'homme. Elle se releva les bras ouverts, illuminée, le ressaisit et mit sa tête contre sa poitrine.

Lui, tremblait de tous ses membres. Les abois des chiens. La maison réveillée. Une voix : « Qu'est-ce que c'est? » Gabrielle allait monter.

Et brusquement :

— Madeleine, Madeleine! J'ai pris l'argent...

— Vous n'avez pas le droit de vous tuer...

— J'ai pris l'argent!...

Elle se détacha. Gabrielle montait, avec lenteur, malgré tout, avec souffrance, sans doute. Madeleine restait mains jointes devant l'homme qui vacillait.

Gabrielle parut.

— Gabrielle, — fit la jeune fille : — Il a pris l'argent, mais il est revenu; il est rentré... Sauve-le!...

— J'ai pris l'argent, — répétait-il, dans sa démence, — et l'argent, l'argent, je l'ai perdu...

Madeleine se détourna, se disposant à regagner sa chambre.

— Ne t'en va pas, Madeleine! — supplia Gabrielle.

...La voix de M. Georges, demandant encore ce qu'il y avait...

Gabrielle :

— Viens, Samuel, M. Georges attend.

o

Ils descendirent l'étage, les deux femmes le soutenant. M. Georges se tenait sur le seuil de sa porte, en robe de chambre, et il eut immédiatement la sensation d'un drame.

— Est-il blessé?

— Non, je ne crois pas...

Alors le malheureux repoussa ses auxiliatrices, s'appuya contre la muraille, et dans les rayons de l'aube, il déclara :

— J'ai pris cent mille francs à la cagnotte, et je les ai perdus. Je suis rentré pour avouer et qu'on n'accusât... Pour aussi... Je ne sais pas... Dans ma chambre, j'ai voulu me tuer. J'avais déjà armé la grenade. C'est Madeleine qui s'est jetée sur moi; c'est Madeleine qui m'en a empêché!... Si j'ouvrais la main, je la tuais aussi!... Elle m'a

fait jeter la grenade, par la fenêtre, dehors. Dehors...
Je suis un misérable. Livrez-moi à la justice...
Perdu, perdu!...

— Remettez-vous, Samuel. Les femmes, laissez-nous! Je vous rappellerai. Entrez, Samuel.
Rhabille-toi, Madeleine.

— Qu'importe mon corps!...

o

C'est alors qu'eut lieu la confession. Samuel avait
toujours eu la fièvre du jeu. Le jeu lui était entré
dans les moelles. Ses avatars en venaient. Le jeu
l'avait proscrit, exilé, ruiné; l'avait jeté hors la loi.
Toute sa petite fortune y avait passé; mais aussi sa
situation, sa dignité, sa probité. Il avait fini par
jouer l'argent des autres, dans cette morbide nécessité du risque, dans les folies imaginatives qu'elle
dispense. Il jouait; il jouait toujours. Sa conduite
à la guerre avait dû être invoquée pour lui éviter
le déshonneur et la condamnation. Dans le cirque
même, il avait failli jouer encore et puiser de l'argent dans la caisse pour l'aventurer. C'était une
poursuite devant laquelle il fuyait; devant laquelle
il devait fuir jour et nuit. Il avait pu tenir bon jusque-là, ici, parce qu'il ne maniait pour ainsi dire
jamais d'argent, qu'il n'en voyait pas. Ah, cette
fois, oh oui, il n'avait eu d'autre pensée que le bien
de la maison, de la chère maison et de tout son
monde. Qu'est-ce qu'un million, qu'aurait-ce été?
Dix fois la mise, ce qui n'est rien. La maison péri-
clitait. Il fallait reconstituer ses réserves.

Tout cela débité sur un mode plaintif, presque criard, comme une justification à qui la forme élevée était nécessaire; comme si la sonorité, l'écho, conféraient de la vérité. M. Georges, assis sur son lit, écoutait de toute son attention, suivant du regard, sans le quitter un instant, ce triste forcené qui parcourait la chambre avec des fixations soudaines, des rejets en arrière...

Le joueur était sûr de sa martingale, avec un peu de chance, un rien de chance. Et la veine était revenue comme elle se montre, comme elle agit, fabuleuse; comme elle arrive, fataliste. Madame Olmer, le jugement, les leçons qui se multipliaient, la direction de la fanfare et la chorale constituée... Une veine se faisait sentir dans les moindres choses; dans le jeu même. Il avait été, avec le succès qu'on lui faisait, entraîné à reboire. Mais peu, et jamais seul, et, en somme, toujours aux frais des autres, car sa chance au poker d'as n'avait pas failli une seule fois. Pas une seule; à croire vraiment qu'il pipait les dés, dès qu'il les mélangeait dans le cornet. Si quelqu'un, près de lui, avait montré une pareille chance, lui, Maret, n'aurait pu faire autrement que de le soupçonner...

Alors, il avait pris la moitié de l'argent, et, à toutes pédales, sans vouloir ne penser qu'à son triomphal retour (il avait emporté, gréé ses sacoches d'arrière pour ramener le million, les billets de mille), il avait gagné Villers-sur-Mer et son petit casino, car, pour les grandes boîtes, son veston noir était trop fatigué :

— Et, Monsieur Georges, à cinq heures du soir,

je gagnai *plus de sept cent mille francs!* Ma martingale rendait presque à chaque coup. Il y avait autour de moi une foule... C'est alors qu'est venue
la malchance, mais pas encore établie; avec des
retours d'oubli, des passes. J'ai perdu deux cent
mille francs et après j'en ai regagné quatre. C'est
reparti. J'ai décidé de jouer jusqu'à huit heures.
J'aurais loué une auto pour ramener, car j'appor-
terais, à ce train-là, plus d'un million. Et cela s'est
abattu comme la foudre. Ratissé, ratissé, jusqu'à
l'os! Plus rien, plus rien... Il fallait que je revinsse,
je devais revenir, ne serait-ce que pour empêcher
les soupçons de s'égarer. Alors, j'ai voulu me périr.
Sans Madeleine, c'était fait... J'ai jeté la grenade,
par la fenêtre... Mais, M. Georges, je me tuerai.
Je me tuerai! Que voulez-vous que je devienne en
face de moi-même?

— Pardon, pardon, Samuel! — le geste de M. Samuel apaisait : — les bêtises sont terminées. Tout
le monde en fait, et moi j'ai tant à me reprocher!
Mais c'est fini. Samuel, vous me les eussiez deman-
dés, ces cent mille francs, que je vous aurais prié de
les prendre. Cela vaut à peine dix mille francs
d'avant-guerre...

Mais M. Georges eut la notion que ces mots ne
portaient point; qu'ils demeuraient inutiles, qu'ils
dépassaient le malheureux. On devait trouver autre
chose; et il le trouva, cet humble d'esprit, à qui son
grand cœur envoya brusquement l'inspiration, le
mot à effet, percutant, atteignant l'autre à l'endroit
sensible :

« Reprenez-vous, Samuel, remettez-vous. Allez

vous reposer, et, après-demain, VOUS IREZ
JOUER LE RESTE.

. . . .

— Qu'est-ce que vous dites?

Maret s'était arrêté, tendu en avant, vers le
maître; cloué net. Quoi, c'est ainsi qu'on le prenait;
cet énorme désastre redevenait donc si peu de
chose?... Cette catastrophe s'amenuisait d'une telle
manière?...

— Oui, vous pourrez jouer les cent mille francs
restant, et vous gagnerez sans doute. Nous irons
ensemble. Oh, je vous laisserai à la table du casino!... En attendant, dormez. Vous êtes trempé,
vous avez reçu l'orage. Vous dormirez ici même.

« Entrez les femmes? Vous avez tout entendu,
ou à peu près, n'est-ce pas? Notre ami souffre de
cette sacrée tocade du jeu qui détruit et ruine les
meilleurs... Il voulait nous ramener un million et
il a perdu *son* argent... Je dis bien SON argent, car
ces cent mille francs lui *appartenaient*. Voilà plus
de deux ans qu'il donne des leçons à *ma fille* et à
moi, et, en fait, c'est bien peu payé. Madeleine, je
te remercie, mon enfant chérie! Je ne suis pas digne
de toi. Gabrielle, aidez-moi à dédoubler mon lit.
M. Samuel couchera dans ma chambre.

VIII

Tout cela se résumait en quelques carreaux
brisés; peu, car les fenêtres, à cause de la
grande chaleur, avaient été laissées ouvertes
derrière les persiennes — et en cette perte de la
moitié du nouveau capital. Mais ça n'alla pas plus
loin; le triste intoxiqué était bien incapable de
bouger, le lendemain et les jours qui suivirent. Une
lourde dépression intellectuelle le tenait sans paroles, l'œil fixe, la mâchoire pendante, immobile
.sur ses oreillers, et la courbature, la pluie, avaient
déterminé en même temps une crise de rhumatismes effroyable. Madeleine ne voulut pas intervenir; elle laissa entièrement à Gabrielle le soin de
s'en occuper, et par un tact extrême, semblait ne
pas savoir qu'il souffrait, qu'il était peut-être
même gravement atteint. Bien qu'il eût proscrit
farouchement tout médecin, Gabrielle parvint à
lui amener le petit docteur, qui se montra soucieux
à cause des antécédents. Mais comme la jeune fille
avait, dans une sorte de divination amoureuse,
deviné le danger, cette fois elle n'arrivait pas à
s'inquiéter. Gabrielle, au comble du chagrin et de
la hantise, allait chercher chez elle, cette sorte

de certitude virginale, cet accent de prophé-
tesse intacte, auquel M. Georges et la jeune femme,
maintenant, étaient respectueusement sensibles.
Sans qu'ils se l'avouassent, Madeleine devenait
pour eux leur recours suprême contre l'adversité,
contre l'effroi vague, l'angoisse indéterminée qui
pèse. C'était elle, la seule intègre, une sorte de génie
bienfaisant.

Jules aurait dit une mascotte.

o

La situation se montrait extrêmement pénible,
même pour M. Georges. On aurait beau faire,
jamais l'amitié n'aurait la même force, la même
simplicité. Il resterait toujours un doute. L'honnêteté, après tout de si peu de valeur à l'égard d'autres
qualités plus positives, demeure une des bases de
l'estime, d'une confiance heureuse. Quant à Gabrielle, elle perdait un peu la tête. Une confusion
d'esprit douloureuse la tourmentait, la laissait
pantelante, et interrogatrice, désemparée... Chez
elle, bien plus que chez son maître, l'intégrité
paraissait un élément primordial; l'intégrité la
déterminait entièrement. Qu'allait-elle devenir?
Son vœu — qu'avait-elle promis? — son vœu n'eût
probablement pas duré si Samuel s'était lavé de
l'acte commis... Son vœu ne durerait pas; le vœu
rentrerait dans ces promesses ardentes qui sont
déjà des dons, des abandons imaginatifs; douées
d'une telle force que l'on peut y voir une exécution
dans l'avenir, et si volontaires, si violentes qu'elles
valent pour le fait. C'est encore une des indul-

gences de l'imagination, et, peut-être, de la Providence. Passé le danger, passé le Saint, mais au
moment où l'on se lie de cette façon, quel secours!
Scepticisme et tendresse de *Celui qui enregistre* —
et qui n'en demande pas tant...

Mais l'impression chez elle était si forte, si
affreuse de chérir un *voleur*, d'être aimée d'un
voleur, qu'elle s'en contractait de dégoût. Un
VOLEUR!... en elle-même, elle prononçait l'horrible mot, sans doute pour renforcer sa résolution.
Elle le répétait pour renoncer, et au fond, elle n'y
croyait pas. Deux fois par jour, après avoir fric-
tionné à la térébenthine le rhumatisant, elle le
repassait, oui, au fer chaud, et elle pantelait de
tendresse en voyant sa docilité, son impassibilité
à la brûlure, et surtout ses regards humiliés. Un
peu sottement, elle faisait la sévère pour gagner du
temps. Ils ne parlaient presque plus, comme si un
seul sujet eût pu exister entre eux.

o

Les jours se solennisaient avec la tendre pro-
gression de l'automne. La sève abandonnait les
ramures, avec le vieillissement décharné. Le ciel
s'encombrait de ouatines traversées de vols hâtifs.
Le silence hivernal s'établissait de plus en plus.
On dressait l'oreille à un cri d'oiseau. Il faisait
doux, et comme ils avaient peu de bois, on laissait
les fenêtres ouvertes en se couvrant un peu. Le
grand air empêchait la notion amère du froid.

o

Ils vécurent complètement abandonnés. Cela
arrive parfois après les grandes poussées, les grandes
manifestations amicales. Chacun a donné sa mesure,
l'a peut-être dépassée; on vous délaisse. Le facteur
ne passait même plus, car on avait renvoyé le
journal au moment des grandes restrictions. Ils
vivaient uniquement sur eux-mêmes, sur leur
trouble, sur leurs meurtrissures, sur leur inquiétude. Madame Olmer n'écrivait jamais, et si cela
augmentait le prestige de ses apparitions, ça dis-
tendait les liens, les nouveaux liens qui s'étaient
tramés. Cependant, le soir et le matin, M. Georges
la comprenait dans ses brèves prières personnelles,
qui étaient plutôt, sauf quand il officiait en famille, une marque, un signe, un geste de fidélité.
« *Heil Hitler* », lui disait en souriant l'abbé Meslay : — « *Heil Hitler*, matin et soir; c'est du fé-
tichisme, Monsieur Georges, mais cela vaut mieux
que rien... »

o

Maret retrouvait un peu de vie, mais, de longtemps, il ne pourrait reprendre ses courses. Madeleine le remplaçait près des élèves, les faisait répéter, à prix plus modique encore, mais avec la même
ardeur et la même conscience, sans l'ombre de
malaise. Le phénomène qui l'avait rendue comme
insensible à Madame Olmer, lors du fameux voyage
à Boncourt, où l'enfant avait pris conscience de la
fragilité de sa mère et du grossier appétit des

hommes, l'indifférence générale s'étaient ampli-
fiés. Elle s'oubliait elle-même, sans retour aucun
sur soi, sur l'effet qu'elle pouvait apporter, sur ce
qu'on dirait. Ses devoirs, ses soucis la dominaient.
Elle était aussi la proie du tragique souvenir...

Cependant rien ne semblait plus exister de la
petite fanatique exaspérée, de l'énervante bonne
sœur en plein vent, avec sa pédanterie de néo-
phyte, et qui agaçait, quelle que fût sa qualité
réelle. Quelqu'un était intervenu, Quelqu'un qui
prenait en main la pauvre maison, et de quelle
Main Puissante!

Gabrielle la réclamait avec une insistance lasse
mais ferme. Gabrielle continuait à soigner silencieusement son malade, ayant complètement perdu
sa verve, son enjouement amoureux, dans une
disposition indéchiffrable de son intimité. Angoisse
profonde? usure soudaine? rancune?... En tout cas,
pareil assombrissement gagnait le fiévreux, qui le
jugeait une conséquence de sa folie, de son crime,
et s'y soumettait, fataliste.

Dès que rentrait Madeleine, Gabrielle l'envoyait
auprès de Samuel et lui laissait la place. C'était
Madeleine qui l'avait sauvé; elle possédait des
droits sur lui; elle possédait peut-être même des
vertus. La superstition inconsciente qui vivait
dans l'âme rurale de Gabrielle, l'amenait à croire
sourdement aux *pouvoirs* de la jeune fille, à ses
dons guérisseurs dans l'ordre physique comme
moral. La brisure déterminée par le drame occa-
sionnait des mouvements étranges, des abnéga-
tions véhémentes et réciproques...

« Je te le donnerai », avait dit Gabrielle dans une violence de dépouillement, dans le sacrifice de ce qu'elle avait de plus précieux pour conjurer le sort, et elle s'y affermissait en partie. Elle admettait de renoncer, mais, encore aimante, elle renonçait pour munir celui qu'elle chérissait d'un autre amour, plus pur, plus haut; d'un amour qui aurait pu se sanctifier. D'ailleurs sa fatigue physique devenait telle, avec les soins donnés, qu'elle en éprouvait parfois des pertes de connaissance qui la stupéfiaient pour quelques secondes. Il avait répugné à quitter sa chambre haute, animalement ou superstitieusement aussi — c'est une croyance normande que changer de chambre attire le malheur — et il fallait, dix fois par jour, monter les deux étages.

Madeleine rendait compte de ses leçons. Gabrielle voyait l'impression produite par la jeune fille sur le musicien, mais se trompait quand elle imaginait l'amour en voie de formation. Samuel en restait au stade de l'étonnement. Il devait tout apprendre de cette femme nouvelle qui se dégageait de la jeune fille. Il ne réalisait pas encore dans son ampleur ce qui était survenu. Son esprit affaibli ne prenait qu'une conscience incomplète de l'amour nouveau, de la preuve d'amour donnée, de sa vie que la jeune fille lui avait offerte pour tenter de sauver la sienne. Restés seuls pendant qu'elle lui lisait quelque chose, il s'imbibait de ces traits calmes, et parfois, dans une surprise brève, frémissait au sentiment de leur beauté. Mais le sang-froid, l'impassibilité de Madeleine, cet air d'avoir tellement oublié, rendait au souvenir son imprécision, et

effaçait la suite; cela devenait incertain comme le
rêve... L'enfant imperturbablement calme qui se
tenait bien droite sur sa chaise, si sagement, si
posément, ne pouvait être la fille admirable de
passion, à demi nue, qui s'était jetée sur lui, et
dans les bras de la Mort.

Sans doute, dans sa finesse, avait-il raison;
cet être n'était plus.

o

Un autre s'était substitué, fait de tendresse,
d'abandon, de gratitude. Madeleine avait écarté
sa mère, au moins pour quelque temps, mais elle
avait trouvé l'affection paternelle. L'aveu de
M. Georges lui réchauffait le cœur et l'esprit. La
longue incertitude, la honte, s'étaient résorbées.
Elle retrouvait son droit d'aimer, de se dévouer.
Plus de gêne, plus de sentiment d'indélicatesse en
manifestant, plus de *situation fausse* dans leur
intérieur. M. Georges, lui aussi gagné, transformé,
était presque heureux, d'un bonheur différent.
Son besoin d'affection pouvait se libérer sans en-
trave ni réticence. C'étaient sans doute ces précautions, la volonté de garder les distances jugées
nécessaires, qui avaient altéré son épanchement
naturel. Il s'épanouissait quelque peu au bras de
sa fille. Leurs promenades libérées n'avaient plus
rien des anciennes déambulations obligatoires où
ils souffraient tous les deux. Un rien de bonheur, un
peu de vrai oubli, et ils eussent ri ensemble comme
des enfants. Il l'attirait toujours près de son fauteuil; il lui prenait la main.

o

Et, cependant, une mélancolie épaisse les entourait, dont ils ne parvenaient pas à s'arracher, et
qui prit une voix redoutable. Pour le musicien,
M. Georges recorda une ancienne cithare, que, de
son lit, Samuel remit au point. Samuel en jouait
les yeux clos. L'homme bizarre était vraiment un
très grand artiste. On pouvait, chez lui, tout discuter, sauf ce sens de l'harmonie, de la domination
sur les notes, les rythmes, les phrases mélodiques.
Dans sa virtuosité et sa souffrance, il tirait, du
modeste instrument, d'extraordinaires plaintes qui
tordaient le cœur. Gabrielle arrivait à ne plus pouvoir les supporter; en elle montait le cri, le hululue-
ment, comme chez les animaux dont la délicatesse
nerveuse réagit à l'aigu de certaines notes. Elle
s'enfuyait dans le jardin, se couvrant les oreilles,
arrivant à peine à retenir ses gémissements et ses
larmes. Dans leur désert et dans le silence épuisé,
tout le bloc plâtreux, toute la maison cubique,
semblait vibrer d'une ruisselante douleur, d'une
plainte réitérée, renouvelée, irritée, irritante. La
lamentation se maintenait à une hauteur insupportable, se prolongeait, s'étirait, dans une exaspération qui durait, reprenait. Ceux qui passaient
s'arrêtaient malgré eux, cherchant d'où pouvait
tomber cette musique presque inhumaine, de
quelle altitude. M. Georges, pénétré d'admiration
et sensible à cette détresse, évoquait des esprits
convulsifs, en migration sur des eaux immenses et
mortes. Et cela durait des heures.

Madeleine, en rentrant une après-midi plus tôt que d'habitude, l'entendit et sourit à Gabrielle blottie sur un banc de l'allée, la tête dans ses mains, presque hagarde : « Ecoute-le, écoute-le... C'est épouvantable... » L'enfant, envahie par cet art saisissant, restait figée, tendue vers la fenêtre haute... « Fais-le taire, Madeleine. Madeleine, fais-le taire!!.... A toi, il obéira. » — « Maman-Belle, c'est son âme, sa pauvre âme... »

o

Madeleine ne voulait pas qu'il obéît. Elle se rendait compte que le musicien eût accepté tout ce qu'elle aurait pu lui demander, mais cela n'eût pas été honnête. Qu'il aurait accepté non par amour mais par loyalisme. Elle ne voulait user de son autorité sur lui que pour de petites choses, des nécessités pratiques; le faire manger, par exemple, car c'était par le jeûne, comme tant de nerveux, qu'il indiquait son trouble. Il était resté près de trois jours sans rien vouloir prendre. Refusant, les yeux clos, toujours les yeux clos, malgré l'insistance de Gabrielle, qui, d'ailleurs, dans son indécision, dans son déchirement tiraillé, ne retrouvait plus l'accent de jadis. Il paraissait ne plus pouvoir regarder Gabrielle, comme s'il se sentait trop coupable à son égard; comme on évite sa victime. Elle croyait à de l'éloignement, et elle n'avait peut-être pas tort; Samuel ne pouvait pas avoir négligé sa réprobation.

o

Gabrielle, dans son désarroi, avait gardé le chapelet ainsi qu'une amulette, un peu comme un ustensile magique. L'apaisement qu'elle y avait trouvé lui était resté ainsi qu'un sortilège heureux. La récitation avait pu diminuer son angoisse. Maintenant, au milieu de ce tourbillon d'idées, d'incertitudes — et les pires sont les incertitudes sur soi-même — elle réclamait plus; il lui fallait une aide venue d'ailleurs, un secours étranger, mais un secours formel. Un peu de son enfance pratiquante la reprenait. Elle consulta Madeleine, devenue l'âme de la maison :

— Ne crois-tu pas que je devrais me confesser, tout au moins?... Que cela me ferait du bien?

Il y avait là une manière d'impudeur, de confiance trop grande qui fit rougir Madeleine. Le plus difficile, pour la jeune fille, c'était de trouver tout cela naturel; de le sembler, du moins, pour ne pas irriter les plaies.

— Bien sûr, — fit-elle, hésitant devant cette demande, qui un mois avant l'eût enthousiasmée, lui eût fait remercier le Ciel avec des yeux blancs. Mais elle avait pris une conscience plus haute. Gabrielle, diminuée par la mêlée de ses idées fixes, continuait :

— Quand j'étais petite fille, j'y prenais du bien, de l'apaisement... Les prêtres ont peut-être des « pouvoirs »... Mais je ne suis pas sûre de ne pas retomber. Non, je ne suis pas sûre... Comment peut-on, de bonne foi, quand on n'a plus quinze ans, engager tout l'avenir?

Pour elle, Madeleine avait pris de l'âge, devenait plus que sa confidente, devenait sa conseillère. Et elle était si malheureuse que toutes les précautions, les dissimulations ne se trouvaient plus de mise... Gabrielle, Gabrielle assise, courbée et les mains entre les genoux, se balançait machinalement et faiblement de droite et de gauche, envoûtée par la cithare qui se plaignait encore et les torturait. Madeleine, comme effrayée par ce qu'entraînait pareille résolution, Madeleine, horriblement gênée d'être mêlée à ces secrets, tâchait de se reprendre, d'intervenir sans maladresse ni sacrilège. Elle eut une inspiration de droiture :

— Oui, mais, auparavant, préviens-les...

— Prévenir M. Georges? oui, sans doute... Mais Samuel, il ne croit pas en Dieu...

— Il ne pratique pas, mais cela ne veut pas tout dire. En le prévenant, tu lui fais comprendre ton chagrin et ton désir de rentrer dans le devoir. Il admettra mieux ton désarroi, et, lui-même, il aura peut-être moins de peine.

Gabrielle hocha la tête; pensivement. Puis avoua que c'était trop difficile à faire. Qu'elle ne le pourrait sans doute pas.

o

— M. Georges, j'ai quelque chose de grave à vous demander?

— Ah!.....

Il leva la tête au-dessus de son livre, tout de suite inquiet, mais, maintenant, résigné...

— Je crois avoir besoin de me confesser, je crois que j'y reprendrais un peu de calme... Madeleine y puise une telle force!... Croyez-vous que je doive le faire; que je puisse le faire?

Mis ainsi au pied du mur, il n'hésita pas une seconde. Question de principe; alors, réponse orthodoxe, quoi qu'il en dût survenir. Ce n'était pas en révolté qu'il avait transgressé la loi, tourné la loi. C'était par mollesse, par acquiescement, par laxité...

— Oui, — dit-il fermement, — pour peu que tu en aies le désir, l'attrait; c'est la forme la plus nette du besoin. Il faut te confesser.

— Il le faut?... — répéta-t-elle, atteinte sans doute par la force de cette déclaration... Elle le regarda de ses larges yeux devenus si tristes, tellement cernés. Atteinte par ce ton presque rude, dû seulement à l'effort qu'il venait de faire, à la contraction de l'émoi, à l'énergie qu'il devait déployer soudainement. Elle aurait pu croire que son maître voulût trancher dans le vif, qu'il eût été excédé, et, qu'ainsi, il pût se débarrasser. Il se débarrassait d'elle.

Elle reprit : — Il faut?...

M. Georges eut la perception de son apparente cruauté. Il s'approcha de la pauvre femme, la prit dans ses bras. Ils étaient debout en face de la froide fenêtre ouverte. Sur la campagne flottaient des pans de brumes en marche. La route vide filait vers l'église; ils semblaient se rapprocher pour se

défendre de l'hiver survenant, de la mauvaise
saison implacable, le vieillard brisé et la jeune
femme atteinte... Il la baisa tendrement sur la
joue, et garda sa tête sur son épaule :

— Il y a neuf ans que je t'aime, — murmura-t-il, — et je t'aimerai jusqu'à mon dernier
souffle. Ne doute jamais de moi. Je t'aimerai
encore mieux...

Elle se blottissait. Les beaux mots magiques, les
mots sacrés, qui sanctifient même le plaisir, qui
purifient même le stupre; ces mots qui échappent
comme le dernier spasme de l'âme dans sa volonté
de s'offrir, et dont la susception divinise celui ou
celle qui les reçoit; ces mots d'une générosité
essentielle la calmaient, la tranquillisaient, pour
une dernière fois; la pénétraient, en lui rouvrant
les ineffables paradis...

— Je devrai prévenir Samuel, — fit-elle très
bas.

Il tressaillit :

— Oui, Gabrielle, il souffrira moins.

— C'est ce que Madeleine m'a dit...

— Tu as averti Madeleine?

— Oui... C'est elle qui m'a conseillé de m'adresser à vous.

— O mon Dieu, — murmura-t-il, dans une
palpitation violente. Sa courageuse et noble
enfant... — Elle t'a dit de parler aussi à Samuel?...

— Il faudra, sans doute, que je me rapproche
de Jules?...

Ils ployaient tous deux sous l'excès de l'émotion.
Ils s'approchèrent encore de la fenêtre, instinctive-

ment, comme pour diminuer leur fardeau de toute l'ampleur des champs; comme pour distendre leur douleur sur l'immensité de la plaine. La souffrance s'apaise un peu en face des grands horizons, la souffrance, qui, au contraire, se nourrit dans le confinement.

Un voyou passait sur la route; son regard, fouillant la maison décriée, les vit enlacés :

— Ne vous embêtez pas!... — beugla-t-il, en pouffant.

Ils n'entendirent point.

o

Il fallut presque rééduquer le musicien, les rhumatismes dont il avait anciennement souffert ne le lâchaient plus. Ses genoux lui refusaient service. Il souffrait même pour faire quelques pas, mais s'y obligeait avec une ténacité dont on voyait l'effort douloureux aux gouttes de sueur qui lui vernissaient soudain la face. Mais il marchait quand même. M. Georges lui donnait le bras, et ils allaient sur la route droite, tous deux devenus tellement lents. Maintenant, le chien aveugle les précédait.

Ce fut la musique encore qui lui rendit un semblant d'activité. Madeleine finit par l'intéresser à nouveau, en lui parlant de ses élèves, en lui rappelant la chorale qu'il avait fondée. Le 22 Novembre, pour la Sainte Cécile, il se traîna jusqu'à l'église. Ils avaient emprunté la petite voiture de provision, et ce fut M. Georges qui la poussa. Qu'ils étaient donc loin de leur ancienne vanité enfantine.

M. Georges portait toujours la redingote, mais, bizarrement, il avait posé le melon entre les jambes du musicien; on ne pousse pas « en melon », un petit chariot... Il se coifferait en arrivant à l'église. Il est vrai que la redingote, elle non plus... Ils étaient partis bien en avance, mais non pour éviter les gens, seulement pour assurer une répétition préalable. Ils avaient été trop touchés, trop molestés dans leur essence pour ne pas dédaigner le qu'en dira-t-on.

Durant la messe, cette fois le musicien ne se boucha pas les oreilles. Les voix enfin posées, lui parurent en tel progrès qu'il en remercia Madeleine de son premier vrai sourire depuis... depuis l'accident — et il ne s'agissait pas de la rencontre de M. Georges. Il ne pouvait plus pédaler sur les soufflets, ses genoux s'y refusaient, et, confiant l'orgue à la jeune fille, il accompagnait les chants de son étrange cithare aiguë, tintant comme je ne sais quel cristal fuselé, divisé, fracturé, qui dominait l'harmonium. Ses trois amis le regardaient avec attendrissement, avec pitié. Cet homme, ils l'avaient arraché à l'agonie, et cela rend grave. Ils n'étaient plus les mêmes. La vie venait de s'acharner sur chacun d'eux, dans une sorte de prise directe, d'agressivité dirigée et successive; en deux ans, ils avaient plus souffert que durant tout leur passé.

Il revint à pied, s'asseyant de temps à autre sur la petite voiture.

Eté de la Saint Martin; Novembre silencieux. Muette supplique de toute la terre.

o

Samuel retrouva un peu d'activité. Ils sortirent plus, s'en allant chercher des champignons que la douceur de la saison avait prolongés. Gabrielle souffrait de la marche et préférait les laisser seuls.

M. Georges fut appelé à Boncourt par l'architecte et se décida à emmener Samuel. Cela valait mieux pour tout le monde. D'ailleurs, pour peu que M. Maret consentît à jeter les yeux autour de lui et pas seulement à prêter l'oreille, le musicien montrait du goût, un choix inné.

Jules était parti avec la voiture, on ne savait pas où. Il abusait de la liberté où l'absence de Madame Olmer laissait la maison. Berthe et Margot restaient seules au château, s'encourageant l'une l'autre.

o

Ce fut, pour Monsieur Georges, un très singulier répit, une sensation douce de facilité, avec le retour en arrière. Il lui semblait, tellement les derniers mois s'étaient chargés de faits, de malheurs, qu'il avait quitté Boncourt depuis dix ans. Il y retrouvait un peu de son âme de jadis, sa plénitude... Pour un de ses caprices, les jeunes filles eussent sauté dans le feu. Berthe avait pris de l'assurance et toutes deux, débarrassées un peu de leur timidité, elles devenaient vivantes. Le musicien avait accordé le grand piano de concert, et il lui arrivait de jouer toute une après-midi. Berthe lui faisait des feux de broche, se glissant sur ses bas dans le grand salon pour alimenter le foyer et le rechargeant avec des précautions de vestale.

Samuel, lui aussi, se détendait. A Boncourt, *il n'était plus jugé*. La passion de Gabrielle, la passion de Madeleine ne l'opprimaient plus, ne se souvenaient plus; ne le mettaient pas, à chaque regard, en face de lui-même et de sa déchéance. Pour les fillettes, il restait un homme prestigieux, incomparable, quand, à Kersardine, il se sentait, malgré toutes les attentions, avili, découronné. Ici, il retrouvait, avec la musique, un peu de son royaume perdu. La largeur d'esprit de M. Georges, cette indulgence que le vieil homme portait en lui comme un sourire toujours prêt à naître, le rassurait. Il devinait que M. Georges voulait effacer de sa propre mémoire l'affreuse chose, comme une maladie brève dont rien ne doit demeurer, et qu'il finissait par y parvenir.

o

Dans une promenade matinale, ayant rencontré un voiturin ami, ils poussèrent jusqu'à l'église un peu lointaine, où il existait un orgue abandonné, que M. Georges espérait pouvoir acquérir et que Maret eût rafistolé. Ils rentrèrent repris par les projets, presque heureux.

Ils virent la grande Berthe leur faire des signaux de détresse et accourir.

Une effrayante nouvelle les attendait. Gabrielle, dans la nuit, avait été prise d'une crise atroce. Madeleine, après l'avis médical, était parvenue à la faire transporter au chef-lieu où on allait l'opérer d'urgence. Cela devait être fait à cette heure, et l'on ne dissimulait pas le danger.

o

Ils étaient hors d'eux-mêmes et cependant silencieux. Ils n'échangèrent pas vingt mots en attendant le car, qui, par bonheur, leur permettait d'atteindre le bourg sans délai. Qui les déposa à quelque cent mètres de la maison du docteur. Celui-ci n'était pas encore rentré. Sa femme, compatissante celle-là, les suivit de l'œil avec commisération. Ils étaient hagards. Ils ne trouvèrent pas une voiture pour les emmener.

Moins de voitures alors, et toutes celles des commerçants avaient été mobilisées pour une foire d'hiver très importante. M. Georges n'avait pas d'argent sur lui, et croyant qu'on ne voulait plus lui faire crédit, il proposait sa montre en gage, ce qui choquait beaucoup, sans qu'il s'en aperçût, par détresse, parlant à peine et peu distinctement.

Alors ils décidèrent, dans un conciliabule abominable, dans une rareté de mots qui seule pouvait en eux retenir le cri, ils décidèrent de tenter l'auto-stop sur une grand'route tellement fréquentée. On aurait pitié de ce vieillard encore si digne, de cet infirme : « Je me mettrai à genoux sur le milieu de la route », disait le stropiat, dans une strangulation qui laissait à peine percevoir ses paroles.

Ils montèrent la côte. Rien. La route était sinistrement vide sur le ciel gris. Ah, à droite, sur la berme, une large voiture couleur aubergine.

Ils stoppèrent : c'était encore une fois la vieille Panhard, leur Panhard, la fidèle. M. Georges ouvrit la portière, et, comme un automate, s'assit sur les coussins; sans hésiter une seconde, attira M. Maret, et retrouvant son trousseau où il avait gardé la clef double, il mit en marche et démarra.

Derrière eux, des cris, des apostrophes qu'ils ne perçurent même pas. M. Georges mena comme jamais. Il reprenait sa voiture, lui demandait secours, l'obtenait. Et la voiture donna son maximum.

o

Mais dans la descente, juste au tournant, où, malgré tout, il faut bien ralentir, deux gendarmes qui ouvraient les bras. Un autre, armé d'un mousqueton, les mit en joue. S'arrêter, machinalement. Ah, qu'ils s'en voulurent plus tard, mais l'automatisme qui avait jeté M. Georges au volant, cette substitution d'un personnage mécanique à son être personnel, le fit obéir. Les centres nerveux jouaient indépendamment de l'acte réfléchi. M. Georges se trouva saisi au collet et Maret, un revolver sur le ventre. Le propriétaire ne les avait pas reconnus, avait téléphoné à la gendarmerie.

M. Georges sortit sa carte de visite, la fameuse nomenclature, son permis de conduire, et comprenant enfin, réveillé, expliqua avec une sorte de sang-froid dépouillé, leur horrible situation. Trop de sang-froid, cela put paraître affecté, et ces jeunes hommes s'étaient dérangés; accourus en

hâte, ils tenaient la voiture... Mais il n'était pas
inconnu, tout au moins de réputation, car il ne
fréquentait plus le chef-lieu. Il ne s'en fallut
que d'un rien, d'autant que, levant le doigt,
M. Georges montra encore la plaque à son nom,
que la négligence de l'acheteur avait laissé subsister
sur le tableau. Mais l'arrivée d'un autre gendarme,
tout excité, fit reprendre la coercition. M. Georges
implorait qu'on les laissât se servir de la voiture,
jusqu'à l'hôpital; qu'il fût accompagné par un
gendarme révolver au poing, mais qu'on leur
permît...

Impossible; en route pour la brigade...

M. Maret, jeté dans le fond, M. Georges bousculé
par un des gendarmes qui prit le volant et les
emmena à la gendarmerie...

Le brigadier n'était pas là. M. Georges supplia
qu'on voulût bien téléphoner à l'hôpital pour avoir
des nouvelles, mais les jeunes gens ne l'écoutaient
plus, ayant épuisé toute leur patience. Ils jouèrent
aux cartes, gaiement, amusés par la capture et
riant à la prime promise.

Le brigadier ne rentra qu'une heure plus tard.
Il admit et réservant toute suite possible, il les
relâcha. M. Georges et le musicien se retrouvèrent
sur la place.

— Restez-là, — commanda le maître, — asseyez-
vous sur le trottoir, je vais louer une voiture.

Il y avait presque deux kilomètres.

Mais passa subitement devant leur rétine une
figure connue, un homme au volant. Ah, c'était
Maugard, l'ennemi des chasseurs. Déjà, M. Georges

avait levé la main, courait à la glace, lui disait leur
angoisse. Ce n'était pas un méchant bougre, et il
avait du remords. Il les chargea et fonça à tom-
beau ouvert.

o

L'hôpital, la sinistre porte sonore. La loge...
Madame Renard avait été opérée du matin, elle
était très mal, très mal...

— Je suis son maître, son ami depuis dix ans.
M. Georges Chapelle, de Boncourt, du château,
des usines... Faites appeler le chirurgien...

— Il est reparti.

Un médecin passait qu'il reconnut. Il bondit,
supplia d'un tel accent que l'homme en fut ébranlé.

— Venez seul.

— Lui aussi, lui aussi l'aime; elle l'aime... C'est
son amant.

Le médecin était un homme de cœur. Il hésitait,
car la concierge lui dardait des regards...

— Attendez! — dit-il, — et il s'enferma pour
téléphoner à la chirurgie.

Il reparut blêmi malgré son habitude des souffrances humaines :

— Depuis une demi-heure, elle n'est plus.

o

Ils la revirent, dans sa grâce devenue ineffable et
comme immatérielle. Madeleine priait auprès
d'elle. La petite forme svelte et solide se révélait
sous les couvertures minces, mais la tête un peu
penchée à droite semblait sourire, dans son rêve

épuisé, par-delà les choses. Si elle avait souffert
rien n'en demeurait. Elle souriait à ses chers
hommes pour qu'ils ne pussent garder d'elle que
cette tendresse de l'accueil, que ces dispositions
heureuses... Elle était partie pour les demeures
paisibles, pour les hautes contrées du repos; elle
avait franchi l'étape, les mornes solitudes que l'on
meuble de fantômes, les paysages désespérés de
la vie, les enfers humains... Ses petites mains
vaillantes qu'enlaçait le chapelet de Madeleine ne
se blesseraient plus. Ses pieds d'enfant reposaient
l'un près de l'autre, comme sur un crucifix.

IX

L'INHUMATION fut la revanche officielle de cette tendre femme que l'on venait de tellement décrier et dont la générosité essentielle avait fait la modeste et secourable vertu. Il y a des créatures, qui, autour d'elles, déterminent de la souffrance, qui engendrent du malheur. Celle-ci n'aurait voulu créer que du bonheur, et peut-être, malgré tant de tourments, avait-elle su y réussir, autant qu'il est possible, chez les tristes, les lourds bipèdes du sixième jour... Le tragique de sa fin, le courage qu'elle avait montré, et cette abnégation dont tant de monde alors parlait, attirèrent sur elle bien des sympathies et toutes les indulgences. M. Georges voulut qu'elle fût inhumée près d'eux, dans le cimetière de la petite église et des grands champs, en face de la plaine. Jules restait introuvable et cela rendait tout difficile, mais l'universelle sollicitude née de cette mort, simplifia les formalités.

Il y avait, certes, bien de la curiosité, de l'avidité parmi l'affluence qui s'entassait autour de la maison de plâtre, au départ du cortège, mais tout se

passa avec une componction, une dignité remar-
quables.

Les tentures noires, sur ces murs crayeux,
hypnotisaient. Porte de la mort, arc de triomphe
lugubre, lambeau de la nuit infinie!... Disparue,
escamotée, la petite forme vivante que les hommes
aimaient à suivre du regard... Déjà dissoute, la
petite mule dorée; les femmes ne recevraient plus
de secours de ces mains si donatrices, de cette
activité qui ne s'épargnait pas. Les hommes ne
rêveraient plus...

Elle si réduite, presque aérienne, élancée, qui
pesait si peu à la terre, comme elle semblait lourde...

o

Le musicien avait gagné l'église avec l'aide de
Madeleine. Il voulait offrir tout ce qu'il possédait,
sa musique. L'assistance le comprit, et cette fois,
une pitié infinie s'ajouta aux curiosités; une attention horrible enchaîna la foule. L'église entière ne
fut plus qu'une âme sensible à ce qui allait venir. Il
forçait ses malheureux genoux à pétrir l'harmonium. Il était là, le torse figé, comme immobilisé
par la souffrance et le désespoir, si loin de ses tics
et de ses balancements. Il restait penché sur l'instrument; son grand menton en avant, ses yeux clos
augmentaient l'impression mortuaire de son immo-
bilité.

Des jeunes filles durent sortir, se trouvant mal
devant le martyr qui chantait, et qui bientôt

chanta seul. Sa chorale avait abandonné, n'osant plus, devinant qu'il y avait quelque chose d'indélicat, de vilain de s'unir à lui, à diminuer la solitude de sa voix. Ainsi, tout seul, Gabrielle l'entendrait mieux.

Et lui, si nerveux, il chanta sans autre mouvement que celui de ses jarrets suppliciés, qui, dans une douleur qui le crispait, animaient encore si puissamment les soufflets. Durant les premières minutes on crut qu'il allait s'écrouler.

Mais à l'offertoire, l'improvisation qu'il soutint saisit le cœur; c'était, répétée, une sorte d'interrogation, de demande; une incrédulité, une impossibilité... Et puis, bientôt, un grand largo d'abandon, de douceur épanouie, de tendresse éperdue. M. Georges sanglotait; dans la nef tous les fronts s'inclinaient, et l'on entendait les toux incoercibles... Le musicien lui-même pleurait; ses larmes tombaient sur le clavier et son visage s'irisait aux faux jours multicolores des verrières.

Ah, ce n'était plus une mélancolie de commande, d'attitude! Ces adieux d'âme rouvraient toutes les blessures, toutes les cicatrices. Même ces abbés, même l'archiprêtre, venus si nombreux pour honorer M. Georges et lui apporter le poids de leur présence — la pauvre petite Gabrielle était morte en chrétienne et la bonté infinie de l'Eglise, au service du Dieu-Vivant, rappelle vite ses brebis — mêmes ces lévites, ces tenants de la mort, se sentaient pénétrés devant ces adieux et ces ultimes confidences, ce dernier épithalame.

o

L'intense recueillement fut un peu troublé vers
la fin par une apparition qui réveilla la curiosité et
détermina une surprise attentive. Madame Olmer
apparut, tout en noir. Prévenue très tard, elle
rentrait directement du Midi, ayant roulé toute la
nuit. On avait entendu un remous à l'extérieur,
c'était la foule qui s'écartait devant l'immense
voiture qu'elle gara dans le parc. On la vit, paraît-il, remettre son chapeau devant une des glaces,
comme si elle était seule. Elle entra, impérieuse, et
pour la première fois pénétrant dans l'église, elle
cherchait des yeux la place de son frère. L'ayant
repérée, elle alla donner de l'eau bénite, et revint
près de M. Georges qui se sentit toucher à l'épaule.
Elle lui serra la main avec un attendrissement
visible, toujours comme si elle eût été seule avec
son frère, avec la châsse et l'autel.

Quel apport pour la pauvre petite morte! quel
acquittement suprême! La présence des prêtres, de
tant de prêtres, n'était plus rien à côté de celle-ci,
de la grande dame autoritaire dont tout le monde
savait la sévérité et la décision. Madame Olmer,
en venant, n'avait ni cédé à la décence, ni à la
courtoisie, ni à la mollesse. Elle rendait, ainsi,
justice; elle apportait son hommage.

Au moment du défilé, elle entraîna le musicien
dans la voiture, le soutenant, et ce fut encore très
remarqué. On approuva qu'il ne prît point part au
deuil et qu'il trouvât ainsi cette aide prestigieuse
pour l'appuyer.

o

Mais tout fut remis en question et comme retourné, un instant du moins, par l'arrivée de Jules
qui fit scandale; Jules en bleu de travail, hirsute,
boueux, venu de la gare à bicyclette. Dans une
sorte de décision farouche qui rappelait ses droits et
ses infortunes, qui faisait un peu oublier ses torts,
il repoussa presque brutalement M. Georges, et
prit sa place au premier rang. Remercia d'un coup
de tête, sans un mot.

Quand tous furent partis et passés, il se retourna
vers M. Georges :

— Vous l'avez gardée pour vous seul, vous l'avez
confisquée. Elle ne sera pas enterrée là. Je la
ramènerai chez moi. Je l'ai eue jeune fille,
moi...

Madame Olmer fit face, immédiatement, impé-
rative :

— Jules, la Royce... Regonflez l'avant droite.
— Une Royce! une Rolls Royce?...
— Oui, dans le parc.

Il se précipita. Elle suivit avec M. Georges, en
haussant les épaules, crispée de dédain : c'était si
facile de manier les hommes...

o

Madeleine, dès qu'elle avait vu entrer Madame
Olmer, s'était éclipsée, confiant le musicien au
jeune curé qui avait cédé sa place aux doyens des
environs. Elle avait fait préparer un repas, songeant

que celle qui n'était plus l'aurait comprise, elle pour qui l'hospitalité avait été une religion. Elle reçut sur le perron, priant Madame Olmer de s'occuper de M. Georges quand elle apportait son aide au musicien sortant difficilement de ces voitures dont la force semble dédaigner le confort et la place. Son calme et sa certitude ne pouvaient échapper.

— Je n'irai pas à table, — fit Samuel.

— Si, — dit-elle doucement, — il le faut; je vous y installe.

— Je ne veux pas.

— Je vous en prie, Mon père serait trop inquiet.

o

Une sorte de détente finit par s'établir. C'est un acte de haute intelligence sociale que ces affreux déjeuners funèbres.

— Reviens à Boncourt, Georges, — proposa enfin Madame Olmer qui n'avait pas retrouvé son accent de jadis et semblait très lasse, très défaite, facilement silencieuse.

— Je ne puis quitter notre petite maison... Je ne puis, ELLE, l'abandonner dans ce cimetière où elle ne connaît personne.

— Tu ne peux demeurer seul ici.

— Je ne serai pas seul; ma fille s'occupera de moi...

Madame Olmer releva les sourcils...

« et-je garderai M. Maret.

— Tu serais bien mieux... tous les trois, vous

seriez bien mieux à Boncourt. Tu aurais les voitures
à ta disposition, et... peut-être que nous pourrions
vivre encore un peu, d'une vie ralentie, mais supportable. Nos sentiments nouveaux ont fait leurs
preuves, Georges.

Madeleine, M. Maret n'étaient plus à table; il les
avait laissés seuls.

— Je suis fini, fini... — murmura M. Georges, —
et, pour ce qui reste, je ne veux pas quitter cette
maison. D'ailleurs, Mary-Ann, si je cédais, je met-
trais encore plus en évidence nos dissentiments
d'autrefois, et alors, on ne pourrait douter que leur
cause ne fût venue de Gabrielle... Puisque, quand
elle n'est plus, *je reviendrais*... Ce serait affliger sa
mémoire. L'affliger...

Il rêva. Madame Olmer le regardait profondément, respectueusement...

« Et puis, — reprit-il avec une expansion soudaine, une sorte de bouffée impérieuse, un retour
de flammes, — et puis, je ne pourrai m'éloigner
d'ici... Ah, j'y ai été si heureux, si heureux, Mary-
Ann, tellement heureux!...

— Que dis-tu?

Elle se pencha comme pour mieux se rendre
compte, prendre contact. Il recommença avec une
expression dilatée :

— J'y ai été si heureux...

Si heureux?... La grande dame crut à une aberra-
tion passagère, à un trouble, à un début de malaise.
Comment, il pouvait parler de bonheur, et sur ce
ton extatique, cet homme qui avait connu la méchanceté déchaînée, l'agressivité la plus cruelle,

celle des petites gens; la gêne, la pauvreté après l'aisance; le mépris après la considération, la respectabilité, presque le pouvoir!... Qui avait tant souffert dans tout ce qu'il choyait, dans ses amours même! Georges, trop heureux, durant ses deux années abominables!?...

Elle s'était reculée, le tenant sous son regard, et lui, dans une abondance émue :

— Oui, je l'aimais tant; nous nous aimions tant... Elle m'aimait beaucoup, et me le prouvait dans chacun de ses efforts, dans chacune de ses intentions, par un dévouement qui ne se relâchait jamais; par sa gaieté, sa vaillance, son abnégation... C'était... UNE FEMME, Mary-Ann. J'ai été, consolé, soutenu, près de dix ans, par elle, à cause d'elle. Je crois bien qu'avant elle, je ne savais pas ce qu'on pouvait attendre d'une aide féminine... Je suis fini; c'est bien.

o

Ces paroles, presque les mêmes, M. Chapelle les reprit devant un hobereau de son voisinage venu lui rendre une visite de deuil, et elles firent sur l'autre une impression presque aussi forte que sur l'âme ulcérée qui les recueillait alors. Chez le voisin, elles déterminèrent un respect immédiat pour le vieil homme, et modifièrent à jamais, en quelques secondes, l'inattention amusée qu'il réservait au maître des Rochers.

Madame Olmer n'arrivait plus à cacher son

trouble. Il se pourrait qu'elle eût enfin compris
que rien n'était, en soi; que tout gît dans la façon
de comprendre, d'éprouver, de sentir, et d'introduire, dans le fait, l'invention personnelle. Ce frère
méprisé, bafoué, ne s'était-il pas révélé supérieur
à ceux qui le dédaignaient de toute leur intelligence
et du haut de leurs réussites? Ce fantoche, avait-il,
lui seul, créé de la richesse réelle, et finalement,
choisi la meilleure part?

Elle songeait; ses traits s'embuaient d'une expression étonnamment triste, presque désespérée,
et M. Georges, qui n'avait pas eu le temps de s'habi-
tuer à considérer en paix sa demi-sœur, ni avec le
sens de l'affection, reprenait son inquiétude en
interrogeant sa physionomie.

Elle se redressa :

— Sans doute as-tu raison. Je ne te parlerai donc
plus de Boncourt, après ces quelques renseigne-
ments que je crois devoir te donner. Je n'ai pas
trouvé d'acquéreur sérieux pour la scierie. Je la
cède presque pour rien, pour la situation, le terrain
et le branchement sur la ligne. Je garde seulement
la dérouleuse. Je la fais transporter à Boncourt où
Jules s'en occupera et l'empêchera de péricliter.
J'ai aimé cette machine, ce sont nos nouveaux
domestiques, aussi dévoués...

— Oh, Mary-Ann, tu vas faire tout rompre?...
Tu crois que tu le peux en conscience?... Qu'était
la gêne que cela t'apportait, à côté du malheur
où tu réduiras ces ménages... Il faut apprécier,
pardonner...

— Il est trop tard; j'ai liquidé. D'ailleurs, tranquillise-toi. Je vois souvent la vie, aujourd'hui, côté *M. Georges*, et non plus côté Chapelle — Georges, tu n'auras pas été tout à fait vaincu... Les ouvriers, soigneusement argentés, ont pris les devants. Il ne reste que les six mieux notés, ceux de 14 1/2, — fit-elle avec un pâle sourire, — à qui je fais une pension. Sans doute finirai-je par m'exiler puisque tu ne veux plus venir, avec moi, vivre à Boncourt.

Elle baissa la voix, par pudeur, par inhabitude de l'aveu.

« ...J'avais fini par beaucoup t'aimer, Georges...
— Mary-Ann!...

Il se récriait : au bout de quelques jours, elle l'aurait jugé selon son mérite, elle eût retrouvé son humilité, sa sottise... Et puis, il se devait à Madeleine et à M. Maret. Pour Madeleine, sa sœur lui avait montré le vrai devoir, et si quelque chose pouvait encore lui permettre de vivre, c'était cette tendresse nouvelle. M. Maret, un ami, maintenant, à toute épreuve. Dans les moments difficiles, ne lui avait-il pas rapporté ses pauvres émoluments, et leur union...

Il rougit soudain : il avait *oublié* le rapt et la perte.

Mais elle combattait, toujours reprise par sa nature de belligérante :

— Tu as raison d'avouer Madeleine; elle le mérite, mais es-tu sûr de la garder?
— Tant que je vivrai, je le crois...
— Écoute; je suis restée en correspondance à son sujet avec la sécularisée. Celle-ci, avec les em-

berlificotements habituels et les ronds de plume
ecclésiastiques, m'a fait comprendre que l'enfant
pensait à la vie religieuse. Alors, Georges, c'est le
couperet! Plus rien ne les tient.

— Sauf l'amour, — sourit le vieil homme tendre,
— mais, certes, pas l'amour paternel, il est vrai...

— Espérons-le, Georges, et alors je la doterais.

— Non, Mary-Ann, tu as déjà trop fait pour les
dissidents, les irréguliers....

— Dette d'honneur. Mais quel amour?

Il répugnait de s'expliquer plus clairement.

« Tu as encore raison, — fit, avec une réserve
inattendue, la terrible sœur; — c'est leur secret.
Mais peut-être l'ai-je deviné. L'homme est bien
âgé pour elle...

— Vingt ou trente ans, c'est très bien. Ça n'empêche personne d'aimer... Il y a tant d'amours
différentes...

— Et je crois, Georges, que cet homme ne restera pas, qu'il compte s'arracher...

— Ah, — répliqua-t-il, avec tristesse, — tu le
penses?... peut-être qu'il te l'a dit?...

Elle hocha la tête :

— Alors, Georges, reviens à Boncourt.

— Oui, — admit-il enfin, tout à fait dénoué... —
Alors, je reviendrai à Boncourt....

o

Elle l'avait emporté; elle restait Mary-Ann
Olmer devant qui l'on cédait; cela lui apporta un

peu d'éclairement, la vivifia; elle consacrait sa victoire définitive :

— Tu verras, Georges, nos dernières années nous feront oublier les premières. J'ai si souvent pensé à toi, ces temps-ci.

Il était très ému. Il ne voyait pas plus loin que son affection, lui. Sa sœur avait fini par l'aimer; il se reprocha violemment ce dernier geste d'une méfiance qui demeurait. Elle le contemplait avec une belle expression attentive, à son tour, un peu canine. Alors, il s'approcha et lui dit à voix basse, mains jointes :

— Mary-Ann, Maman s'appelait Élise; Élisa Rouault...

Et elle comprit qu'il venait de lui offrir son plus précieux secret.

o

. . . .
Les lèvres de Madame Olmer tremblaient un peu. Elle le prit aux épaules et l'embrassa brusquement. Il lui rendit son baiser avec maladresse, mais dans un tel épanouissement sensible que Georges semblait soudain vivifié.

Il y avait de grands rayons de soleil, automnaux et pathétiques au long des herbes.

Sur le perron, elle l'embrassa encore, embrassa tendrement Madeleine, l'invitant à Paris et à Boncourt. M. Maret pourrait l'y conduire. Elle tint longuement la main du musicien. Puis, elle monta

en voiture. Jules était reparti sur sa bicyclette.
Elle embraya; la formidable machine bondit,
s'élança sous les épicéas mornes et noirs... Mais
stoppa brusquement avant d'en sortir, et, dans une
marche arrière d'une régularité lente qui impression-
nait, revint sur ses traces, lentement, lentement,
en inquiétant les trois attentifs.

Madame Olmer, à son volant, restait très calme.
Elle n'avait pas quitté l'expression rêveuse des derniers instants :

— Georges, voudrais-tu monter près de moi;
j'ai encore des choses que j'aurais dû t'annoncer;
que je ne puis pas te cacher, *maintenant.*

— Des choses graves! — s'écria le vieillard, toujours lui-même.

— Des choses tristes, pour moi, — fit-elle avec
un sourire décharné...

— Ah mon Dieu!!

Il se recourbait sur les coussins, dans cet étroit
intérieur d'un luxe excessif, d'un luxe presque
insolent.

— Non, — Georges, — reprit-elle enfin, —reste
ici, tu as raison et tu en as le droit. Quoi qu'il arrive.
Tu étais dans le vrai : rien n'est qu'amour et soumission, et toute autorité, toute domination est un
péché contre la vie...

« Georges, j'ai eu tort, j'ai eu tort, en tout.
Écoute, Jacques m'a quittée; Jacques ne reviendra
jamais, et... et je l'ai mal aimé. J'aurais voulu qu'il
réussît, qu'il brillât, et il n'était pas né pour les
grandes places, pour les grandes affaires, ni pour les
triomphes sur les hommes... Je voulais recréer un

Chapelle, et il n'était qu'un enfant de condition modeste dont j'espérais, parce qu'il s'était montré un héros, faire un des seigneurs de la terre... Au lieu de l'aimer, de l'aimer en toute simplicité, de lui accorder la modeste fille qu'il préférait, qu'il voulait; au lieu de l'aimer maternellement... Ah, savons-nous si nous sommes jamais maternelles?... Moi aussi, j'ai une tombe à fleurir, à garder... Il a été gagné par les mauvaises compagnies, les sales habitudes... Il me faisait une existence de folle, de réprouvée... Il jouait, il empruntait, il s'était mis à boire...

— Pardonne-lui, Mary-Ann...

Elle ne sembla pas avoir entendu, elle poursuivit :

— Et il me sembla que je devais te le dire, que je le dois aussi à la mémoire de cette pauvre fille pour laquelle je me suis montrée trop sévère, sans assez tenir compte de ses qualités, du handicap que sa condition lui infligeait... Avais-je le droit d'être si difficile pour les amours des autres? Moi aussi, j'aimais, malgré tant de tares, tant de vices.

— Oh, Mary-Ann, ne dis pas cela de Gabrielle...

— Mais non, fit-elle, avec brusquerie — je ne parle que de l'autre... Il m'a piétinée, il m'a reniée; il ne revenait que pour me torturer...

— Il souffrait sans doute, Mary-Ann? Pardonne-lui, vois-tu, il faut tellement mieux pardonner aux vivants qu'aux morts, Mary-Ann...

Elle frissonna et ses doigts se crispèrent sur le volant d'argent...

— Il est mort, en effet, Georges. Il s'est fait justice; ou plutôt il a été poussé dans la mort par ses affreux compagnons. On a trouvé son corps dans un bois, près de Vence. J'ai acheté le silence des journaux. Mais avant, il m'avait envoyé une lettre atroce, sans nom; une lettre...

Elle se raidit :

« Il m'avait volé tous mes bijoux et les souvenirs du seul homme que j'avais aimé, avant lui. Je n'avais pas le droit de juger...

— Mary-Ann, pardonne... Mary-Ann, ouvre tes mains, tes mains blessées... Pardonne...

PRESQUE tous ne sont plus. M. Georges mourut très vite; Madame Olmer ne dura pas. Et pourtant, à Boncourt, ils retrouvèrent une paix désolée et telle que le monde ne peut rien sur ceux qui en possèdent la funèbre formule.

La contrée s'émeut encore autour de ceux qui firent tant parler; mais, vraiment, on dirait que seule leur tendresse a surnagé; que sur les bourbes, la tendresse seule a fleuri en corolles pures. Qu'importe, si, peut-être, Madeleine n'a pu poursuivre sa destinée céleste; qu'importe, si, hélas, M. Maret, repris par ses démons, se serait lentement déshonoré... Il ne demeure, du groupe, qu'une auréole de qualité étrange, ombres et lumières, mais toute vibrante de bonheurs et de détresses : celle des hommes.

ABSOLUTION

Le Chamblac.
Mars 1946-Mars 1950.

LA PRÉSENTE ÉDITION (2ᵉ TIRAGE)
A ÉTÉ ACHEVÉE D'IMPRIMER LE
23 AVRIL 1951 PAR L'IMPRIME-
RIE FLOCH A MAYENNE (FRANCE)
POUR BERNARD GRASSET ÉDITEUR
A PARIS. NUMÉRO D'ÉDITION : 671
DÉPOT LÉGAL : 2ᵉ TRIMESTRE 1951

(2211)

ŒUVRES
DE
J. DE LA VARENDE

Le Centaure de Dieu.
Grand Prix du Roman de l'Académie Française

Man'd'Arc, *roman.*

Le Roi d'Ecosse, *roman.*

L'Homme aux gants de toile, *roman.*

Le Troisième Jour, *roman.*

CHEZ

BERNARD GRASSET ÉDITEUR

Durand, 18, rue Séguier, Paris

42e Édition